CW00407004

Dieser Band enthält sechs meisterhafte Erzählungen von britischen Autoren, die ihre Hauptwerke in der ersten Hälfte unseres Jahrhunderts geschrieben haben: Saki (1870 —1916), Virginia Woolf (1882—1941), W. Somerset Maugham (1874—1965), Aldous Huxley (1894—1963), Evelyn Waugh (1903—1966) und V. S. Pritchett (* 1900).

Dem englischen Originaltext ist in Paralleldruck eine deutsche Übersetzung beigegeben.

dtv zweisprachig · Edition Langewiesche-Brandt

ENGLISH SHORT STORIES (1)

ENGLISCHE KURZGESCHICHTEN (1)

Auswahl und Übersetzung von Ulrich Friedrich Müller

Deutscher Taschenbuch Verlag

Deutscher Taschenbuch Verlag GmbH & Co. KG, München
1. Auflage 1973. 15. Auflage Juli 1990
© 1960 Langewiesche-Brandt, Ebenhausen bei München
Umschlaggestaltung: Celestino Piatti
Gesamtherstellung: Kösel, Kempten
ISBN 3-423-090022-7. Printed in Germany

Norman Gortsby sat on a bench in the Park, with his back to a strip of bush-planted sward, fenced by the park railings, and the Row fronting him across a wide stretch of carriage drive. Hyde Park Corner, with its rattle and hoot of traffic, lay immediately to his right. It was some thirty minutes past six on an early March evening, and dusk had fallen heavily over the scene, dusk mitigated by some faint moonlight and many street lamps. There was a wide emptiness over road and sidewalk, and yet there were many unconsidered figures moving silently through the half-light or dotted unobtrusively on bench and chair, scarcely to be distinguished from the shadowed gloom in which they sat.

The scene pleased Gortsby and harmonized with his present mood. Dusk, to his mind, was the hour of the defeated. Men and women, who had fought and lost, who hid their fallen fortunes and dead hopes as far as possible from the scrutiny of the curious, came forth in this hour of gloaming, when their shabby clothes and bowed

Norman Gortsby saß auf einer Bank im Park. Hinter seinem Rücken befand sich ein schmaler Streifen von busch-
bepflanztem Rasen, durch die Parkgitter begrenzt, und vor
ihm die Rotten Row jenseits eines breiten Stücks Fahrweg.
Ganz in der Nähe lag rechts Hyde Park Corner mit dem
Rasseln und Hupen des Verkehrs. Es war ungefähr halb
sieben Uhr an einem frühen Märzabend, und die Dämmerung hatte sich schwer über das Bild gelegt, eine Dämmerung, die nur vom blassen Mondlicht und den vielen Stra-
ßenlaternen gemildert wurde. Eine unendliche Leere lag
über Straße und Fußweg, und doch bewegten sich da viele
nicht erkennbare Gestalten durch das Dämmerlicht oder
waren unauffällig auf die Bänke und Stühle getüpfelt, kaum
zu unterscheiden von dem düsteren Schatten, in dem sie
saßen.

Das Bild gefiel Gortsby und entsprach ganz seiner augen-
blicklichen Stimmung. Die Dämmerung war für ihn die
Stunde der Besiegten. Männer und Frauen, die gekämpft
und verloren hatten, die ihre zerronnenen Vermögen und
aufgegebenen Hoffnungen so weit wie möglich vor der Zu-
dringlichkeit der Neugierigen verbargen, kamen zum Vor-
schein in dieser Dämmerstunde, zu der schäbige Kleider,

shoulders and unhappy eyes might pass unnoticed, or, at any rate, unrecognized.

A king that is conquered must see strange looks,
So bitter a thing is the heart of man.

The wanderers in the dusk did not choose to have strange looks fasten on them, therefore they came out in this bat-fashion, taking their pleasure sadly in a pleasure-ground that had emptied of its rightful occupants. Beyond the sheltering screen of bushes and palings came a realm of brilliant lights and noisy, rushing traffic. A blazing, many-tiered stretch of windows shone through the dusk and almost dispersed it, marking the haunts of those other people, who held their own in life's struggle, or at any rate had not had to admit failure. So Gortsby's imagination pictured things as he sat on his bench in the almost deserted walk. He was in the mood to count himself among the defeated. Money troubles did not press on him; had he so wished he could have strolled into the thoroughfares of light and noise, and taken his place among the jostling ranks of those who enjoyed prosperity or struggled for it. He had failed in a more subtle ambition, and for the moment he was heart sore and disillusionized, and not disinclined to take a certain cynical pleasure in observing and labelling his fellow wanderers as they went their ways in the dark stretches between the lamp-lights.

gebeugte Schultern und freudlose Augen unbemerkt oder jedenfalls unerkannt bleiben konnten.

Dir gilt kein guter Blick, besiegter Fürst,
Und bitter zeigt sich dir der Menschen Herz.

Den Wanderern in der Dämmerung lag nicht daran, ungute Blicke auf sie zu heften, und so kamen sie hervor wie die Fledermäuse, um ihrer traurigen Lustbarkeit in einem Lustgarten nachzugehen, den seine rechtmäßigen Besitzer verlassen hatten. Auf der anderen Seite des schützenden Schirms aus Büschen und Zäunen lag das Reich der hellen Lampen und des lärmenden, eiligen Verkehrs. In vielen Reihen übereinander schien eine strahlende Flucht von Fenstern durch das Dämmerlicht und zerstreute es beinahe. Sie bezeichnete die Behausungen jener anderen Menschen, die sich im Kampf ums Dasein behaupteten oder jedenfalls ihr Versagen nicht hatten eingestehen müssen. So malte Gortsby sich die Dinge aus, während er da auf seiner Bank am fast menschenleeren Weg saß. Er war in der richtigen Stimmung, um sich zu den Besiegten zu zählen. Geldsorgen drückten ihn nicht; wenn ihm danach zumute gewesen wäre, hätte er in die Verkehrsadern voll Licht und Lärm schlendern und seinen Platz im Gedränge derer einnehmen können, die sich des Wohlstands erfreuten oder ihm nachjagten. Er hatte in einem schwierigeren Streben versagt, und nun saß er mit wundem Herzen und ohne Illusionen da und war nicht abgeneigt, ein gewisses zynisches Vergnügen darin zu finden, seine Mitwanderer zu beobachten und einzuordnen, die ihren Weg durch die dunklen Strecken zwischen den Lichtkreisen der Lampen gingen.

On the bench by his side sat an elderly gentleman with a drooping air of defiance that was probably the remaining vestige of self-respect in an individual who had ceased to defy successfully anybody or anything. His clothes could scarcely be called shabby, at least they passed muster in the half-light, but one's imagination could not have pictured the wearer embarking on the purchase of a half-crown box of chocolates or laying out ninepence on a carnation buttonhole.

He belonged unmistakably to that forlorn orchestra to whose piping no one dances; he was one of the world's lamenters who induces no responsive weeping. As he rose to go Gortsby imagined him returning to a home circle where he was snubbed and of no account, or to some bleak lodging where his ability to pay a weekly bill was the beginning and end of the interest he inspired.

His retreating figure vanished slowly into the shadows, and his place on the bench was taken almost immediately by a young man, fairly well dressed but scarcely more cheerful of mien than his predecessor. As if to emphasize the fact that the world went badly with him the new-comer unburdened himself of an angry and very audible expletive as he flung himself into the seat.

"You don't seem in a very good temper," said

Neben ihm auf der Bank saß ein ältlicher Herr mit gleichgültig herausfordernder Miene, die wahrscheinlich die letzte Spur der Selbstachtung war bei einem Menschen, dem es nicht mehr gelang, irgend jemand oder irgend etwas mit Erfolg herauszufordern. Seine Kleider waren nicht eigentlich schäbig zu nennen, jedenfalls konnte man sie im Zwielicht durchgehen lassen, aber keine Phantasie hätte sich auszumalen vermocht, wie der Träger dieser Kleidung sich zum Kauf einer Pralinenschachtel für zweieinhalb Schilling verstieg oder neun Pence auf eine Nelke fürs Knopfloch verschwendete. Er gehörte unverkennbar zu jenem verlorenen Orchester, nach dessen Pfeifen niemand tanzt; er war einer von den Klagenden dieser Welt, der keine Träne des Mitleids mehr hervorruft. Als er aufstand um wegzugehen, stellte sich Gortsby vor, wie er in einen häuslichen Kreis zurückkehrte, wo er umhergestoßen und nicht für voll genommen wurde, oder in ein ödes Mietszimmer, wo seine Zahlungsfähigkeit hinsichtlich der wöchentlichen Rechnung Anfang und Ende der Anteilnahme darstellte, die er hervorrief. Im Weggehen verschwand seine Gestalt nach und nach in den Schatten, und sein Platz auf der Bank wurde fast augenblicklich von einem jungen Mann eingenommen, der leidlich gut gekleidet war, aber kaum fröhlicher dreinsah als sein Vorgänger. Als wollte er mit Nachdruck die Tatsache betonen, daß die Welt es schlecht mit ihm meinte, erleichterte sich der Ankömmling durch einen wütenden und sehr vernehmlichen Fluch, als er sich auf seinen Platz fallen ließ.

«Sie scheinen nicht gut aufgelegt zu sein», sagte Gortsby,

Gortsby, judging that he was expected to take due notice of the demonstration.

The young man turned to him with a look of disarming frankness which put him instantly on his guard.

"You wouldn't be in a good temper if you were in the fix I'm in," he said; "I've done the silliest thing I've ever done in my life."

"Yes?" said Gortsby dispassionately.

"Came up this afternoon, meaning to stay at the Patagonian Hotel in Berkshire Square," continued the young man; "when I got there I found it had been pulled down some weeks ago and a cinema theatre run up on the site. The taxi driver recommended me to another hotel some way off and I went there. I just sent a letter to my people, giving them the address, and then I went out to buy some soap — I'd forgotten to pack any and I hate using hotel soap. Then I strolled about a bit, had a drink at a bar and looked at the shops, and when I came to turn my steps back to the hotel I suddenly realized that I didn't remember its name or even what street it was in. There's nice predicament for a fellow who hasn't any friends or connections in London! Of course I can wire to my people for the address, but they won't have got my letter till to-morrow; meantime I'm without any money, came out with about a shilling on me, which went in buying the soap and getting

weil er annahm, er sei verpflichtet, von dieser Aufführung gebührend Notiz zu nehmen.

Der junge Mann wandte sich ihm mit einem Blick voll entwaffnendem Freimut zu, der ihn sofort auf der Hut sein ließ.

«Sie wären auch nicht gut aufgelegt, wenn Sie so in der Klemme wären wie ich», sagte der Fremde. «Ich habe die größte Dummheit meines Lebens gemacht.»

«Ja?» sagte Gortsby ruhig.

«Ich bin heute nachmittag angekommen und wollte im Hotel Patagonia am Berkshire-Platz absteigen», fuhr der junge Mann fort. «Als ich da ankam, sah ich, daß es vor ein paar Wochen abgerissen worden ist und jetzt ein Kino an der Stelle gebaut wird. Der Taxichauffeur empfahl mir ein anderes Hotel, ein ganzes Stück weit weg, da bin ich hingegangen. Ich schrieb nur schnell einen Brief nach Hause mit meiner Anschrift und ging dann weg, um Seife zu kaufen: ich hatte vergessen, welche einzupacken, und hasse es, die Hotelseife zu benutzen. Dann bin ich noch ein bißchen weiter gebummelt, hab in einer Bar etwas getrunken und mir die Läden angeguckt, und als ich ins Hotel zurückwollte, stellte ich plötzlich fest, daß ich seinen Namen nicht mehr im Kopf hatte, ja nicht einmal die Straße, in der es lag. Schöne Bescherung für jemanden, der keine Freunde oder Bekannte in London hat. Natürlich kann ich wegen der Adresse nach Hause telegraphieren, aber vor morgen früh haben sie meinen Brief nicht, und so lange stehe ich ohne Geld da. Ich bin mit etwa einem Schilling weggegangen, der für den Kauf der Seife und für das Getränk

the drink, and here I am, wandering about with twopence in my pocket and nowhere to go for the night."

There was an eloquent pause after the story had been told. "I suppose you think I've spun you rather an impossible yarn," said the young man presently, with a suggestion of resentment in his voice.

"Not at all impossible," said Gortsby judicially; "I remember doing exactly the same thing once in a foreign capital, and on that occasion there were two of us, which made it more remarkable. Luckily we remembered that the hotel was on a sort of canal, and when we struck the canal we were able to find our way back to the hotel."

The youth brightened at the reminiscence. "In a foreign city I wouldn't mind so much," he said; "one could go to one's Consul and get the requisite help from him. Here in one's own land one is far more derelict if one gets into a fix. Unless I can find some decent chap to swallow my story and lend me some money I seem likely to spend the night on the Embankment. I'm glad, anyhow, that you don't think the story outrageously improbable."

He threw a good deal af warmth into the last remark, as though perhaps to indicate his hope that Gortsby did not fall far short of the requisite decency.

draufgegangen ist. Nun laufe ich herum mit zwei Pence in der Tasche und ohne zu wissen, wohin ich über Nacht soll.»

Es folgte eine vielsagende Pause, nachdem die Geschichte erzählt war. «Sie glauben wahrscheinlich, ich habe Ihnen da ein unmögliches Garn vorgesponnen», sagte der junge Mann gleich darauf mit einem Anflug von Empfindlichkeit in der Stimme.

«Gar nicht unmöglich», sagte Gortsby sachlich. «Ich erinnere mich, daß mir dasselbe einmal in einer ausländischen Hauptstadt passiert ist, und damals waren wir zu zweit, was die Sache noch bemerkenswerter macht. Zum Glück fiel uns ein, daß das Hotel an einer Art Kanal lag, und als wir auf den Kanal stießen, konnten wir unseren Weg zurück ins Hotel finden.»

Das Gesicht des jungen Mannes hellte sich bei diesem Bericht auf. «In einer ausländischen Stadt würde mich das nicht so sehr stören», sagte er, «da kann man zu seinem Konsul gehen und die nötige Hilfe bekommen. Hier im eigenen Land ist man viel mehr aufgeschmissen, wenn man in die Klemme gerät. Finde ich nicht einen anständigen Kerl, der meine Geschichte schluckt und mir etwas Geld leiht, werde ich wohl die Nacht am Themseufer zubringen müssen. Immerhin bin ich froh, daß Sie die Geschichte nicht übertrieben unwahrscheinlich finden.»

Er legte ziemlich viel Wärme in diese letzte Bemerkung. Vielleicht wollte er damit seine Hoffnung andeuten, daß Gortsby nicht verfehlen würde, den erforderlichen Anstand aufzubringen.

"Of course," said Gortsby slowly, "the weak point of your story is that you can't produce the soap."

The young man sat forward hurriedly, felt rapidly in the pockets of his overcoat, and then jumped to his feet.

"I must have lost it," he muttered angrily.

"To lose an hotel and a cake of soap on one afternoon suggests wilful carelessness," said Gortsby, but the young man scarcely waited to hear the end of the remark. He flitted away down the path, his head held high, with an air of somewhat jaded jauntiness.

"It was a pity," mused Gortsby; "the going out to get one's own soap was the one convincing touch in the whole story, and yet it was just that little detail that brought him to grief. If he had had the brilliant forethought to provide himself with a cake of soap, wrapped and sealed with all the solicitude of the chemist's counter, he would have been a genius in his particular line. In his particular line genius certainly consists of an infinite capacity for taking precautions."

With that reflection Gortsby rose to go; as he did so an exclamation of concern escaped him. Lying on the ground by the side of the bench was a small oval packet, wrapped and sealed with the solicitude of a chemist's counter. It could be nothing else but a cake of soap, and it had evid-

«Natürlich», sagte Gortsby bedächtig, «liegt der schwache Punkt Ihrer Geschichte darin, daß Sie die Seife nicht vorzeigen können.»

Der junge Mann richtete sich hastig auf, suchte rasch in den Taschen seines Mantels und erhob sich dann mit einem Sprung.

«Ich muß sie verloren haben», murmelte er ärgerlich.

«Ein Hotel und ein Stück Seife an einem Nachmittag zu verlieren läßt auf vorsätzliche Sorglosigkeit schließen», sagte Gortsby, aber der junge Mann wartete das Ende dieser Bemerkung kaum ab. Er machte sich hocherhobenen Hauptes und mit dem Ausdruck leicht gedämpfter Keckheit auf dem Weg davon.

«Schade», überlegte Gortsby. «Noch einmal weggehen, um eigene Seife zu kaufen, das war der einzige überzeugende Zug in der ganzen Geschichte, und doch ist er gerade über diese kleine Einzelheit gestolpert.

Hätte er die großartige Umsicht aufgebracht, ein mit der ganzen Sorgfalt des Drogisten eingewickeltes und verklebtes Stück Seife einzustecken, wäre er ein Genie auf seinem Gebiet gewesen. Auf seinem Gebiet besteht Genie zweifellos aus einer grenzenlosen Begabung für Vorsichtsmaßnahmen.»

Mit dieser Überlegung stand Gortsby auf, um zu gehen. Aber dabei entfuhr ihm ein Ausruf der Bestürzung. Neben der Bank lag auf dem Boden ein ovales, mit der ganzen Sorgfalt des Drogisten eingewickeltes und verklebtes Päckchen. Es konnte nur ein Stück Seife sein, und es war offensichtlich dem jungen Mann aus der Manteltasche gefallen,

ently fallen out of the youth's overcoat pocket when he flung himself down on the seat. In another moment Gortsby was scudding along the dusk-shrouded path in anxious quest for a youthful figure in a light overcoat. He had nearly given up the search when he caught sight of the object of his pursuit standing irresolutely on the border of the carriage drive, evidently uncertain whether to strike across the Park or make for the bustling pavements of Knightsbridge. He turned round sharply with an air of defensive hostility when he found Gortsby hailing him.

"The important witness to the genuineness of your story has turned up," said Gortsby, holding out the cake of soap; "it must have slid out of your overcoat pocket when you sat down on the seat. I saw it on the ground after you left. You must excuse my disbelief, but appearances were really rather against you, and now, as I appealed to the testimony of the soap I think I ought to abide by its verdict. If the loan of a sovereign is any good to you —"

The young man hastily removed all doubt on the subject by pocketing the coin.

"Here is my card with my address," continued Gortsby; "any day this week will do for returning the money, and here is the soap — don't lose it again; it's been a good friend to you."

"Lucky thing your finding it," said the youth.

als er sich schwungvoll auf seinen Platz gesetzt hatte. Im nächsten Augenblick eilte Gortsby den in Dämmerung gehüllten Weg entlang und hielt ängstlich Ausschau nach einer jugendlichen Gestalt in leichtem Mantel. Er hatte die Suche schon fast aufgegeben, als er den Gegenstand seiner Verfolgung entdeckte, der unentschlossen am Rand der Fahrbahn stand und sich offenbar nicht entscheiden konnte, ob er durch den Park gehen oder die Richtung auf das geschäftige Pflaster von Knightsbridge einschlagen sollte. Er drehte sich ruckartig mit verteidigungsbereiter Feindseligkeit um, als er merkte, daß Gortsby nach ihm rief.

«Der entscheidende Zeuge für die Wahrheit Ihrer Geschichte ist aufgetaucht», sagte Gortsby und hielt das Stück Seife hin. «Es muß Ihnen aus der Manteltasche gerutscht sein, als Sie sich auf Ihren Platz setzten. Ich sah es auf dem Boden, nachdem Sie weggegangen waren. Sie müssen meine Ungläubigkeit entschuldigen, aber der Anschein sprach ja wirklich eher gegen Sie, und nun, da ich die Seife zum Zeugnis angerufen hatte, muß ich mich wohl an ihren Wahrspruch halten. Wenn Ihnen mit einem Zwanzig-Schilling-Stück als Darlehen gedient ist...»

Der junge Mann zerstreute alle Zweifel in dieser Hinsicht, indem er die Münze einsteckte.

«Hier ist meine Karte mit meiner Anschrift», fuhr Gortsby fort. «Es genügt, wenn Sie mir irgendwann in dieser Woche das Geld zurückgeben. Und hier ist die Seife — verlieren Sie sie nicht noch einmal, sie hat sich als guter Freund erwiesen.»

«Fein, daß Sie sie gefunden haben», sagte der junge

and then, with a catch in his voice, he blurted out a word or two of thanks and fled headlong in the direction of Knightsbridge.

"Poor boy, he as nearly as possible broke down," said Gortsby to himself. "I don't wonder either; the relief from his quandary must have been acute. It's a lesson to me not to be too clever in judging by circumstances."

As Gortsby retraced his steps past the seat where the little drama had taken place he saw an elderly gentleman poking and peering beneath it and on all sides of it, and recognized his earlier fellow occupant.

"Have you lost anything, sir?" he asked.

"Yes, sir, a cake of soap."

Mann. Dann, mit einem Kratzen in der Stimme, stieß er ein oder zwei Worte des Dankes aus und floh Hals über Kopf in Richtung Knightsbridge.

«Armer Junge, er war wirklich knapp am Zusammenbrechen», sagte sich Gortsby. «Das wundert mich auch nicht weiter; die Befreiung aus seiner mißlichen Lage wird ihn hart mitgenommen haben. Für mich ist es eine Lehre, nicht zu spitzfindig nach den Umständen zu urteilen.»

Als Gortsby seine Schritte zurück zu der Bank lenkte, wo das kleine Drama stattgefunden hatte, sah er einen älteren Herrn darunter und rings daneben stochern und herumsuchen. Er erkannte den Mann, der vorher mit ihm dort gesessen hatte.

«Haben Sie etwas verloren?» fragte er.

«Ja, ein Stück Seife.»

Oliver Bacon lived at the top of a house overlooking the Green Park. He had a flat; chairs jut-
ted out at the right angles — chairs covered in
hide. Sofas filled the bays of the windows — sofas
covered in tapestry. The windows, the three long
windows, had the proper allowance of discreet
net and figured satin. The mahogany sideboard
bulged discreetly with the right brandies, whiskies and liqueurs. And from the middle window
he looked down upon the glossy roofs of fashionable cars packed in the narrow straits of Piccadilly.
A more central position could not be imagined.
And at eight in the morning he would have his
breakfast brought in on a tray by a man-servant:
the man-servant would unfold his crimson dress-
ing-gown; he would rip his letters open with his
long pointed nails and would extract thick white
cards of invitation upon which the engraving stood
up roughly from duchesses, countesses, viscountes-
ses and Honourable Ladies. Then he would wash;
22 then he would eat his toast; then he would read his
23 paper by the bright burning fire of electric coals.

Oliver Bacon lebte ganz oben in einem Hause mit weitem Blick über den Green Park. Er hatte eine Etagenwohnung. Stühle, die im rechten Winkel angeordnet waren — lederbezogene Stühle. Sofas füllten die Fensternischen — mit gewirkten Stoffen bezogene Sofas. Die Fenster, die drei hohen Fenster, trugen das rechte Maß an diskretem Tüll und geblümtem Satin. Das Mahagonibüffet barg in seinen vornehmen Rundungen die üblichen Cognacs, Whiskies und Liköre. Und vom Mittelfenster aus blickte er auf die blanken Dächer von vornehmen Wagen, die sich in den engen Straßen von Piccadilly drängten. Man konnte sich keine zentralere Lage vorstellen. Und um acht Uhr morgens würde sein Frühstück auf einem Teewagen vom Diener hereingebracht werden; der Diener würde ihm seinen karminroten Morgenrock ausbreiten; er würde mit den langen spitzen Fingernägeln seine Briefe aufreißen und schwere weiße Einladungskarten herausziehen, auf denen in kräftig erhabenem Stahlstich Herzoginnen, Gräfinnen, Vicomtessen und Ehrenwerte Ladies standen. Dann würde er sich waschen, dann würde er seinen Toast essen, und dann würde er im hellen Schein des elektrischen Kaminfeuers Zeitung lesen.

"Behold Oliver," he would say, addressing himself. "You who began life in a filthy little alley, you who...", and he would look down at his legs, so shapely in their perfect trousers; at his boots; at his spats. They were all shapely, shining; cut from the best cloth by the best scissors in Savile Row. But he dismantled himself often and became again a little boy in a dark alley. He had once thought that the height of his ambition — selling stolen dogs to fashionable women in Whitechapel. And once he had been done. "Oh, Oliver," his mother had wailed. "Oh, Oliver! When will you have sense, my son?"... Then he had gone behind a counter; had sold cheap watches; then he had taken a wallet to Amsterdam ... At that memory he would chuckle — the old Oliver remembering the young. Yes, he had done well with the three diamonds; also there was the commission on the emerald. After that he went into the private room behind the shop in Hatton Garden; the room with the scales, the safe, the thick magnifying glasses. And then ... and then... He chuckled. When he passed through the knots of jewellers in the hot evening who were discussing prices, gold mines, diamonds, reports from South Africa, one of them would lay a finger to the side of his nose and murmur, "Hum-m-m," as he passed. It was no more than a murmur, no more than a nudge on the shoul-

«Sieh mal an, Oliver», redete er sich dann wohl an. «Du, der du dein Leben in einer schmutzigen kleinen Gasse begonnen hast, der du...» Er pflegte dann auf seine wohlgeformten Beine in ihren untadeligen Hosen zu blicken, auf seine Schuhe, auf seine Gamaschen. Alles war vornehm und sauber gepflegt, aus bestem Stoff von den besten Scheren der Savile Row zugeschnitten. Aber er ließ oft alle Pracht abfallen und sah sich wieder als kleiner Junge in einer dunklen Gasse. Das höchste Ziel seines Ehrgeizes, so hatte er einst geglaubt, sei es, gestohlene Hunde an gewisse feine Damen von Whitechapel zu verkaufen. Und einmal war er dabei hereingefallen. «Oh Oliver», hatte seine Mutter gejammert, «wann wirst du endlich vernünftig, mein Sohn?»... Dann war er hinter einen Ladentisch gegangen und hatte billige Uhren verkauft; dann hatte er einen kleinen Lederbeutel nach Amsterdam gebracht... Bei dieser Erinnerung kicherte er jedesmal, der alte Oliver, der an den jungen dachte. Ja, er hatte wirklich sehr gut verdient an den drei Diamanten, und dann war da noch die Provision auf den Smaragd. Danach war er in das Privatbüro hinter dem Laden in jener anderen Straße, Hatton Garden, gekommen, in das Büro mit den Waagschalen, dem Safe und den dicken Vergrößerungsgläsern. Und dann... und dann... Er kicherte. Wenn er an warmen Abenden durch die Gruppen der Juweliere gegangen war, die über Preise, Goldminen, Diamanten und Berichte aus Afrika diskutierten, hatte stets einer von ihnen den Finger seitlich an die Nase gelegt und «Hm, hm» gemurmelt, während er vorbeigeschritten war. Es war nur ein leises Gemurmel gewesen, nur ein leichtes

der, a finger on the nose, a buzz that ran through the cluster of jewellers in Hatton Garden on a hot afternoon — oh, many years ago now! But still Oliver felt it purring down his spine, the nudge, the murmur that meant, "Look at him — young Oliver, the young jeweller — there he goes."

Young he was then. And he dressed better and better; and had, first a hansom cab; then a car; and first he went up to the dress circle, then down into the stalls. And he had a villa at Richmond, overlooking the river, with trellises of red roses; and Mademoiselle used to pick one every morning and stick it in his buttonhole.

"So," said Oliver Bacon, rising and stretching his legs. "So . . ."

And he stood beneath the picture of an old lady on the mantelpiece and raised his hands. "I have kept my word," he said, laying his hands together, palm to palm, as if he were doing homage to her. "I have won my bet." That was so; he was the richest jeweller in England; but his nose, which was long and flexible, like an elephant's trunk, seemed to say by its curious quiver at the nostrils (but it seemed as if the whole nose quivered, not only the nostrils) that he was not satisfied yet; still smelt something under the ground a little farther off. Imagine a giant hog in a pasture rich

Klopfen auf die Schulter, ein Finger an der Nase, ein Summen, das durch den Schwarm der Juweliere von Hatton Garden an einem warmen Nachmittag gegangen war – oh, wie viele Jahre lag das schon zurück! Aber Oliver fühlte es noch sein Rückgrat herunterrieseln, dieses Einander-Anstoßen, dieses Gemurmel, das bedeutete: «Seht ihn euch an — der junge Oliver, der junge Juwelier — da geht er.» Jung war er damals gewesen. Und dann hatte er sich immer besser gekleidet und hatte erst eine zweirädrige offene Kutsche, später aber ein Auto gehabt; und erst hatte er im Rang gesessen und dann unten in den vorderen Reihen des Parketts. Und er hatte eine Villa in Richmond mit Blick über den Fluß und Spalieren voll roter Rosen; und Mademoiselle pflegte jeden Morgen eine zu pflücken und in sein Knopfloch zu stecken.

«So», sagte Oliver Bacon, indem er aufstand und seine Beine streckte. «So...»

Und er stand neben dem Bild einer alten Dame über dem Kaminsims und hob die Hände. «Ich habe mein Wort gehalten», sagte er und legte die Hände flach aufeinander, als bringe er ihr eine Huldigung dar. «Ich habe meine Wette gewonnen.» Es stimmte schon, er war der reichste Juwelier von England, aber seine Nase, die lang und schmiegsam war wie ein Elefantenrüssel, schien mit dem eigenartigen Zucken um die Nasenflügel (es hatte allerdings den Anschein, als zuckte die ganze Nase, nicht nur die Nasenflügel) zu sagen, daß er noch nicht befriedigt war; er witterte immer noch etwas unter der Erde, ein Stückchen weiter. Man stelle sich ein riesiges Schwein auf einer trüffelreichen Wiese

with truffles; after unearthing this truffle and that, still it smells a bigger, a blacker truffle under the ground farther off. So Oliver snuffed always in the rich earth of Mayfair another truffle, a blacker, a bigger farther off.

Now then he straightened the pearl in his tie, cased himself in his smart blue overcoat; took his yellow gloves and his cane; and swayed as he descended the stairs and half snuffed, half sighed through his long sharp nose as he passed out into Piccadilly.

For was he not still a sad man, a dissatisfied man, a man who seeks something that is hidden, though he had won his bet?

He swayed slightly as he walked, as the camel at the zoo sways from side to side when it walks along the asphalt paths laden with grocers and their wives eating from paper bags and throwing little bits of silver paper crumpled up on to the path. The camel despises the grocers; the camel is dissatisfied with its lot; the camel sees the blue lake, and the fringe of palm trees in front of it. So the great jeweller, the greatest jeweller in the whole world, swung down Piccadilly, perfectly dressed, with his gloves, with his cane; but dissatisfied still, till he reached the dark little shop, that was famous in France, in Germany, in Austria, in Italy, and all over America — the dark little shop in the street off Bond Street.

vor: auch wenn es schon die eine oder andere Trüffel herausgewühlt hat, wittert es doch eine noch dickere, noch schwärzere Trüffel in der Erde, weiter weg. Ebenso witterte Oliver in der fetten Erde von Mayfair immer noch eine Trüffel, eine schwärzere, dickere Trüffel, weiter weg.

Jetzt aber steckte er die Perle in seinem Schlips gerade, hüllte sich in seinen eleganten blauen Mantel und griff nach seinen gelben Handschuhen und seinem Stock; er schwankte, als er die Treppe hinabging, und machte ein halb schnaufendes, halb seufzendes Geräusch durch seine lange, scharfe Nase, als er das Haus verließ und Piccadilly betrat. Denn war er nicht, obwohl er seine Wette gewonnen hatte, immer noch ein trauriger Mann, ein unbefriedigter Mann, ein Mann, der etwas Verborgenes sucht?

Auch beim Gehen schwankte er ein wenig, so wie ein Kamel im Tierpark von einer Seite zur anderen schwankt, wenn es die asphaltierten Wege entlangschreitet, auf denen brave Kolonialwarenhändler mit ihren Frauen aus Papiertüten essen und kleine zerknüllte Stücke Silberpapier auf den Weg werfen. Das Kamel verachtet diese Krämer, das Kamel ist mit seinem Schicksal unzufrieden, das Kamel sieht den blauen See vor sich und den Palmenhain. Ebenso schaukelte der große Juwelier, der größte Juwelier der ganzen Welt, tadellos angezogen, mit Handschuhen und Stock, und doch noch unbefriedigt, die große Straße Piccadilly hinunter, bis er bei dem dunklen kleinen Laden ankam, der berühmt war in Frankreich, Deutschland, Österreich, Italien und ganz Amerika — der dunkle kleine Laden in einer Seitenstraße von der Bond Street.

As usual, he strode through the shop without speaking, through the four men, the two old men, Marshall and Spencer, and the two young men, Hammond and Wicks who stood straight and looked at him, envying him. It was only with one finger of the amber-coloured glove, waggling, that he acknowledged their presence. And he went in and shut the door of his private room behind him.

Then he unlocked the grating that barred the window. The cries of Bond Street came in; the purr of the distant traffic. The light from reflectors at the back of the shop struck upwards. One tree waved six green leaves, for it was June. But Mademoiselle had married Mr. Pedder of the local brewery — no one stuck roses in his buttonhole now.

"So," he half sighed, half snorted, "so — —"

Then he touched a spring in the wall and slowly the panelling slid open, and behind it were the steel safes, five, no, six of them, all of burnished steel. He twisted a key; unlocked one; then another. Each was lined with a pad of deep crimson velvet; in each lay jewels — bracelets, necklaces, rings, tiaras, ducal coronets; loose stones in glass shells; rubies, emeralds, pearls, diamonds. All safe, shining, cool, yet burning, eternally, with their own compressed light.

"Tears!" said Oliver, looking at the pearls.

Wie gewöhnlich ging er, ohne zu sprechen, stracks durch den Laden, vorbei an den vier Herren, den beiden alten Herren Marshall und Spencer und den beiden jungen Herren Hammond und Wicks, die aufrecht dastanden und ihn neidvoll anblickten. Nur mit dem Wippen eines Fingers im bernsteinfarbenen Handschuh nahm er ihre Gegenwart zur Kenntnnis. Er betrat sein Privatbüro und machte die Tür hinter sich zu.

Dann schloß er das Gitter auf, mit dem das Fenster versperrt war. Die Rufe aus der Bond Street und das Schnurren des fernen Verkehrs kamen herein. Das Licht von den Scheinwerfern hinten im Laden drang nach oben. Der eine Baum bewegte seine sechs grünen Blätter, denn es war Juni. Aber Mademoiselle hatte Herrn Pedder von der Brauerei am Ort geheiratet — niemand steckte ihm jetzt Rosen ins Knopfloch.

«So.» Halb geseufzt, halb geschnauft: «So —»

Dann drückte er auf eine Feder in der Wand; langsam glitt die Täfelung auseinander, und dahinter erschienen die Stahlschränke, fünf, nein sechs waren es, alle aus brüniertem Stahl. Er drehte einen Schlüssel und öffnete erst einen, dann noch einen. Jeder war mit einem Polster von karminrotem Samt ausgeschlagen, in jedem lagen Juwelen — Armbänder, Halsketten, Ringe, hohe Diademe, Herzogskronen; ungefaßte Steine in Glasschälchen; Rubine, Smaragde, Perlen, Diamanten. Alle sicher verwahrt, schimmernd, kühl und doch auf ewig brennend in ihrem eigenen komprimierten Licht.

«Tränen!» sagte Oliver und blickte auf die Perlen.

"Heart's blood!" he said, looking at the rubies.

"Gunpowder!" he continued, rattling the diamonds so that they flashed and blazed.

"Gunpowder enough to blow Mayfair — sky high, high, high!" He threw his head back and made a sound like a horse neighing as he said it.

The telephone buzzed obsequiously in a low muted voice on his table. He shut the safe.

"In ten minutes," he said. "Not before." And he sat down at his desk and looked at the heads of the Roman emperors that were graved on his sleeve links. And again he dismantled himself and became once more the little boy playing marbles in the alley where they sell stolen dogs on Sunday. He became that wily astute little boy, with lips like wet cherries. He dabbled his fingers in ropes of tripe; he dipped them in pans of frying fish; he dodged in and out among the crowds. He was slim, lissome, with eyes like licked stones. And now — now — the hands of the clock ticked on, one, two, three four... The Duchess of Lambourne waited his pleasure; the Duchess of Lambourne, daughter of a hundred Earls. She would wait for ten minutes on a chair at the counter. She would wait his pleasure. She would wait till he was ready to see her. He watched the clock in its shagreen case. The hand moved on. With each tick the clock handed him — so it seemed — paté

«Herzblut!» sagte er und blickte auf die Rubine.

«Schießpulver!» fuhr er fort und rasselte mit den Diamanten, daß sie blitzten und loderten.

«Genug Schießpulver, um Mayfair in die Luft zu jagen — himmelhoch, hoch, hoch!» Er warf den Kopf zurück, und während er das sagte, gab er einen Ton von sich wie ein wieherndes Pferd.

Das Telephon auf seinem Tisch summte unterwürfig mit leiser, erstickter Stimme. Er schloß den Safe.

«In zehn Minuten», sagte er, «nicht früher.» Und er setzte sich an seinen Tisch und blickte auf die Köpfe der römischen Kaiser, die in seine Manschettenknöpfe graviert waren. Und wieder ließ er alle Pracht abfallen und wurde noch einmal der kleine Junge, der mit Murmeln in der Gasse spielt, in der am Sonntag gestohlene Hunde verkauft werden. Er wurde wirklich dieser verschlagene, schlaue kleine Junge mit Lippen wie nasse Kirschen. Er wühlte mit den Fingern in Strängen von Eingeweiden, er tauchte sie in Pfannen mit brutzelndem Fisch, er lief im Zickzack durch die Menschenmenge. Er war schlank und geschmeidig und hatte Augen wie geleckte Kiesel. Und jetzt — jetzt — die Zeiger der Uhr tickten weiter, eins, zwei, drei, vier... Die Herzogin von Lambourne wartete, bis es ihm belieben würde, die Herzogin von Lambourne, Tochter von hundert Grafen. Sie würde zehn Minuten auf einem Stuhl am Ladentisch warten. Sie würde warten, bis es ihm belieben würde. Sie würde warten, bis er bereit sein würde, sie zu empfangen. Er beobachtete die Uhr in ihrem mit Chagrinleder bezogenen Gehäuse. Der Zeiger rückte weiter. Mit jedem Ticken reichte

de foie gras, a glass of champagne, another of fine brandy, a cigar costing one guinea. The clock laid them on the table beside him as the ten minutes passed. Then he heard soft slow footsteps approaching; a rustle in the corridor. The door opened. Mr. Hammond flattened himself against the wall.

"Her Grace!" he announced.

And he waited there, flattened against the wall.

And Oliver, rising, could hear the rustle of the dress of the Duchess as she came down the passage. Then she loomed up, filling the door, filling the room with the aroma, the prestige, the arrogance, the pomp, the pride of all the Dukes and Duchesses swollen in one wave. And as a wave breaks, she broke, as she sat down, spreading and splashing and falling over Oliver Bacon, the great jeweller, covering him with sparkling bright colours, green, rose, violet; and odours; and iridescences; and rays shooting from fingers, nodding from plumes, flashing from silk; for she was very large, very fat, tightly girt in pink taffeta, and past her prime.

As a parasol with many flounces, as a peacock with many feathers, shuts its flounces, folds its feathers, so she subsided and shut herself as she sank down in the leather armchair.

"Good morning, Mr. Bacon," said the Duchess. And she held out her hand which came through

ihm die Uhr — so schien es — Gänseleberpastete, einen Kelch Champagner, ein Glas alten Cognac, eine Zigarre zu einundzwanzig Schilling. Die Uhr legte das alles neben ihm auf den Tisch, während die zehn Minuten verstrichen. Dann hörte er, wie sich weiche bedächtige Schritte näherten, und ein Rascheln im Flur. Die Tür ging auf. Herr Hammond drückte sich flach gegen die Wand.

«Ihre Gnaden», meldete er.

Und er wartete dort, flach gegen die Wand gedrückt.

Und Oliver konnte im Aufstehen das Kleid der Herzogin rascheln hören, während sie den Gang entlangkam. Dann erschien sie und füllte die Tür und den ganzen Raum mit dem Duft, mit dem Nimbus, dem Hochmut, dem Prunk und dem Stolz aller Herzöge und Herzoginnen, angewachsen zu einer einzigen Welle. Und wie eine Welle sich bricht, so brach sie im Hinsetzen rinnend und sprühend und verrauschend über Oliver Bacon, dem großen Juwelier zusammen und überschüttete ihn mit glitzernden hellen Farben, grün, rot, violett; und mit Düften; und mit den Spektren des Regenbogens: Strahlen schossen von ihren Fingern, kamen nickend von Federn und blitzend von Seide; denn sie war sehr breit, sehr fett, eng in blaßroten Taft gewickelt und stand nicht mehr im Frühling ihres Lebens. Wie ein Sonnenschirm mit vielen Falbeln oder ein Pfau mit vielen Federn ihre Falbeln falten oder ihre Federn zusammenlegen, so faltete sie sich und sank sie zusammen, als sie sich in den Ledersessel fallen ließ.

«Guten Morgen, Herr Bacon», sagte die Herzogin. Und sie streckte ihre Hand hin, die durch den Einschnitt ihres

the slit of her white glove. And Oliver bent low as he shook it. And as their hands touched the link was forged between them once more. They were friends, yet enemies; he was master, she was mistress; each cheated the other, each needed the other, each feared the other, each felt this and knew this every time they touched hands thus in the little back room with the white light outside, and the tree with its six leaves, and the sound of the street in the distance and behind them the safes.

"And today, Duchess — what can I do for you today?" said Oliver, very softly.

The Duchess opened her heart, her private heart, gaped wide. And with a sigh but no words she took from her bag a long washleather pouch — it looked like a lean yellow ferret. And from a slit in the ferret's belly she dropped pearls — ten pearls. They rolled from the slit in the ferret's belly — one, two, three, four — like the eggs of some heavenly bird.

"All's that's left me, dear Mr. Bacon," she moaned. Five, six, seven — down they rolled, down the slopes of the vast mountain sides that fell between her knees into one narrow valley — the eighth, the ninth, and the tenth. There they lay in the glow of the peach-blossom taffeta. Ten pearls.

"From the Appleby cincture," she mourned. "The last . . . the last of them all."

weißen Handschuhs herausquoll. Und Oliver verneigte sich tief, als er sie schüttelte. Und mit der Berührung ihrer Hände war das Band zwischen ihnen wieder geknüpft. Sie waren Freunde und doch Feinde; er war der Herr, sie die Herrin; jeder von beiden betrog den anderen, jeder brauchte den anderen, jeder fürchtete den anderen, jeder von beiden fühlte das und jeder wußte das, sobald ihre Hände sich berührten in dem kleinen Hinterzimmer mit dem weißen Licht von draußen, dem Baum mit den sechs Blättern, dem Geräusch der Straße in der Ferne und den Stahlschränken hinter ihnen.

«Und heute, Herzogin – was kann ich heute für Sie tun?» sagte Oliver sehr sanft.

Die Herzogin öffnete ihr Herz, weit offen stand ihr ganz privates Herz. Und mit einem Seufzer, aber ohne Worte, nahm sie aus der Handtasche ein langes waschledernes Säckchen – es sah aus wie ein häßliches gelbes Frettchen. Und aus einem Schlitz im Bauch des Frettchens schüttelte sie Perlen – zehn Perlen. Sie rollten aus dem Schlitz im Bauch des Frettchens – ein, zwei, drei, vier – wie die Eier irgendeines himmlischen Vogels.

«Das ist alles was ich noch habe, lieber Herr Bacon», stöhnte sie. Fünf, sechs, sieben – da rollten sie hinab, die Neigung der Berghänge hinab, die sich zwischen den Knien der Herzogin zu einem engen Tal vereinigten – die achte, die neunte, die zehnte. Da lagen sie im Glanze des Pfirsichblütentafts. Zehn Perlen.

«Vom Appleby-Gürtel», klagte sie. «Die letzten ... die allerletzten.»

Oliver stretched out and took one of the pearls between finger and thumb. It was round, it was lustrous. But real was it, or false? Was she lying again? Did she dare?

She laid her plump padded finger across her lips. "If the Duke knew..." she whispered. "Dear Mr. Bacon, a bit of bad luck ..."

Been gambling again, had she?

"That villain! That sharper!" she hissed.

The man with the chipped cheek bone? A bad 'un. And the Duke was straight as a poker; with side whiskers; would cut her off, shut her up down there if he knew — what I know, thought Oliver, and glanced at the safe.

"Araminta, Daphne, Diana," she moaned. "It's for *them*."

The ladies Araminta, Daphne, Diana — her daughters. He knew them; adored them. But it was Diana he loved.

"You have all my secrets," she leered. Tears slid; tears fell; tears, like diamonds, collecting powder in the ruts of her cherry blossom cheeks.

"Old friend," she murmured, "old friend."

"Old friend," he repeated, "old friend," as if he licked the words.

"How much?" he queried.

She covered the pearls with her hand.

"Twenty thousand," she whispered.

But was it real or false, the one he held in his

Oliver streckte die Hand aus und nahm eine von den Perlen zwischen Mittelfinger und Daumen. Sie war rund, sie glänzte. Aber war sie echt oder falsch? Log die Herzogin wieder? Wagte sie es?

Sie legte ihren plumpen, wulstigen Finger auf die Lippen. «Wenn der Herzog das wüßte...» flüsterte sie. «Lieber Herr Bacon, ein bißchen Pech...»

Hatte sie wirklich schon wieder gespielt?

«Dieser Schurke! Dieser Schwindler!» zischte sie.

Der Mann mit dem zerhauenen Backenknochen? Ein böser Kerl. Und der Herzog mit seinem Backenbart war gerade und steif wie ein Feuerstocher und würde sie enterben und sie da unten einsperren, wenn er wüßte — was ich weiß, dachte Oliver und blickte auf den Safe.

«Araminta, Daphne, Diana», stöhnte sie, «für *sie* tue ich es.»

Die Damen Araminta, Daphne und Diana — ihre Töchter. Er kannte sie und betete sie an. Aber Diana liebte er.

«Sie kennen alle meine Geheimnisse», sagte sie blinzelnd. Tränen kullerten, Tränen fielen; Tränen wie Diamanten, die den Puder in den Furchen ihrer Kirschblütenwangen zusammenlaufen ließen.

«Alter Freund», murmelte sie, «alter Freund.»

«Alter Freund», wiederholte er, «alter Freund», als ob er die Worte auflecke.

«Wieviel?» fragte er.

Sie bedeckte die Perlen mit der Hand.

«Zwanzigtausend», flüsterte sie.

Aber war sie nun echt oder falsch, diese hier, die er in

hand? The Appleby cincture — hadn't she sold it already? He would ring for Spencer or Hammond. "Take it and test it," he would say. He stretched to the bell.

"You will come down tomorrow?" she urged, she interrupted. "The Prime Minister—His Royal Highness ..." She stopped. "And Diana ..." she added.

Oliver took his hand off the bell.

He looked past her, at the backs of the houses in Bond Street. But he saw, not the houses in Bond Street, but a dimpling river; and trout rising and salmon; and the Prime Minister; and himself too, in white waistcoat; and then, Diana. He looked down at the pearl in his hand. But how could he test it, in the light of the river, in the light of the eyes of Diana? But the eyes of the Duchess were on him.

"Twenty thousand," she moaned. "My honour!"

The honour of the mother of Diana! He drew his cheque book towards him; he took out his pen.

"Twenty — —" he wrote. Then he stopped writing. The eyes of the old woman in the picture were on him — of the old woman his mother.

"Oliver!" she warned him. "Have sense! Don't be a fool!"

"Oliver!" the Duchess entreated — it was "Oliver" now, not "Mr. Bacon." "You'll come for a long weekend?"

der Hand hielt? Der Appleby-Gürtel — hatte sie den nicht schon verkauft? Er würde nach Spencer oder Hammond läuten. «Nehmen Sie dies und prüfen Sie es», würde er sagen. Er griff nach der Glocke.

«Sie kommen doch morgen zu uns» fragte sie eindringlich und unterbrach ihn. «Der Premierminister — seine Königliche Hoheit...» Sie hielt inne. «Und Diana...» setzte sie hinzu.

Oliver nahm die Hand von der Glocke.

Er blickte hinter ihr auf die Rückfront von den Häusern der Bond Street. Aber er sah nicht die Häuser der Bond Street, er sah einen leicht gekräuselten Fluß und springende Forellen und Lachse und den Premierminister und auch sich selbst in weißer Weste — und Diana.

Er blickte auf die Perle in seiner Hand. Aber wie sollte er sie prüfen im Glanz des Flusses, im Glanz von Dianas Augen? Und die Augen der Herzogin lagen auf ihm.

«Zwanzigtausend», stöhnte sie. «Meine Ehre!»

Die Ehre von Dianas Mutter! Er zog sein Scheckheft heran und nahm seinen Federhalter heraus.

«Zwanzig —», schrieb er. Dann hörte er auf zu schreiben. Die Augen der alten Frau auf dem Bild lagen auf ihm — der alten Frau, seiner Mutter.

«Oliver!» warnte sie ihn. «Sei vernünftig! Sei doch kein Narr!»

«Oliver!» flehte die Herzogin — «Oliver» sagte sie jetzt, nicht «Herr Bacon». «Sie kommen doch auf ein verlängertes Wochenende?»

Alone in the woods with Diana! Riding alone in the woods with Diana!

"Thousand," he wrote, and signed it.

"Here you are," he said.

And there opened all the flounces of the parasol, all the plumes of the peacock, the radiance of the wave, the swords and spears of Agincourt, as she rose from her chair. And the two old men and the two young men, Spencer and Marshall, Wicks and Hammond, flattened themselves behind the counter envying him as he led her through the shop to the door. And he waggled his yellow glove in their faces, and she held her honour — a cheque for twenty tousand pounds with his signature — quite firmly in her hands.

"Are they false or are they real?" asked Oliver, shutting his private door. There they were, ten pearls on the blotting-paper on the table. He took them to the window. He held them under his lens to the light ... This, then, was the truffle he had routed out of the earth! Rotten at the centre — rotten at the core!

"Forgive me, oh, my mother!" he sighed, raising his hands as if he asked pardon of the old woman in the picture. And again he was a little boy in the alley where they sold dogs on Sunday.

"For," he murmured, laying the palms of his hands together, "it is to be a long week-end."

Allein im Wald mit Diana! Allein mit Diana durch die Wälder reiten!

«Tausend», schrieb er und unterzeichnete den Scheck.

«Hier», sagte er.

Und schon gingen alle Falbeln des Sonnenschirms auf, alle Federn des Pfaus, der Glanz der Welle und die Schwerter und Lanzen von Azincourt, als sie sich nun von ihrem Stuhl erhob. Und die beiden alten Herren und die beiden jungen Herren, Spencer und Marshall, Wicks und Hammond, drückten sich hinter den Ladentisch und beneideten ihn, wie er sie durch das Geschäft zur Tür führte. Und er wippte mit seinen gelben Handschuhen vor ihren Augen, und sie hielt ihre Ehre — einen Scheck auf zwanzigtausend Pfund mit seiner Unterschrift — ganz fest in der Hand.

«Sind sie nun falsch oder sind sie echt?» fragte Oliver, indem er die Tür seines Privatbüros schloß. Da lagen sie, die zehn Perlen, auf dem Löschpapier auf seinem Tisch. Er nahm sie ans Fenster. Er hielt sie unter seiner Lupe ans Licht... Das also war nun die Trüffel, die er aus der Erde gewühlt hatte! Morsch im Zentrum — morsch im Mark!

«Vergib mir, oh, Mutter!» seufzte er und hob die Hände, als bäte er die alte Frau auf dem Bild um Verzeihung. Und wieder war er ein kleiner Junge in der Gasse, in der am Sonntag gestohlene Hunde verkauft wurden.

«Bedenke», flüsterte er, indem er die Handflächen aufeinander legte, «es soll ein langes Wochenende werden.»

I could never understand why Louise bothered with me. She disliked me and I knew that behind my back, in that gentle way of hers, she seldom lost the opportunity of saying a disagreeable thing about me. She had too much delicacy ever to make a direct statement, but with a hint and a sigh and a little flutter of her beautiful hands she was able to make her meaning plain. She was a mistress of cold praise. It was true that we had known one another almost intimately, for five-and-twenty years, but it was impossible for me to believe that she could be affected by the claims of old association. She thought me a coarse, brutal, cynical and vulgar fellow. I was puzzled at her not taking the obvious course and dropping me. She did nothing of the kind; indeed she would not leave me alone; she was constantly asking me to lunch and dine with her and once or twice a year invited me to spend a week-end at her house in the country. At last I thought I had discovered her motive. She had an uneasy suspicion that I did not believe in her; and if that was why

Ich habe nie verstehen können, warum sich Louise mit mir abgab. Sie mochte mich nicht, und ich wußte, daß sie selten eine Gelegenheit ausließ, hinter meinem Rücken in ihrer vornehmen Art etwas Unfreundliches über mich zu sagen. Sie war zu taktvoll, um jemals eine eindeutige Behauptung aufzustellen, aber sie wußte sich mit einer Andeutung und einem Seufzer und einem zarten Geflatter ihrer schönen Hände verständlich zu machen. Sie war eine Meisterin in der Kunst des kühlen Lobes.

Wir waren zwar seit fünfundzwanzig Jahren fast intim befreundet, aber ich konnte unmöglich glauben, daß die Rechte alter Beziehungen sie irgendwie beeindruckten. Sie hielt mich für einen ungehobelten, brutalen, zynischen und gewöhnlichen Kerl. Ich rätselte daran herum, warum sie nicht das Naheliegende tat und mich fallen ließ. Sie tat nämlich nichts dergleichen; sie ließ mir keine Ruhe. Immer wieder bat sie mich zu einem Imbiß oder zum Mittagessen, und ein- oder zweimal im Jahr lud sie mich ein, das Wochenende in ihrem Landhaus zu verbringen. Schließlich glaubte ich ihr Motiv entdeckt zu haben. Sie hegte den quälenden Verdacht, daß ich sie nicht ernst nahm; und wenn sie mich deshalb nicht

she did not like me, it was also why she sought my acquaintance: it galled her that I alone should look upon her as a comic figure and she could not rest till I acknowledged myself mistaken and defeated. Perhaps she had an inkling that I saw the face behind the mask and because I alone held out was determined that sooner or later I too should take the mask for the face. I was never quite certain that she was a complete humbug. I wondered whether she fooled herself as thoroughly as she fooled the world or whether there was some spark of humour at the bottom of her heart. If there was it might be that she was attracted to me, as a pair of crooks might be attracted to one another, by the knowledge that we shared a secret that was hidden from everybody else.

I knew Louise before she married. She was then a frail, delicate girl with large and melancholy eyes. Her father and mother worshipped her with an anxious adoration, for some illness, scarlet fever I think, had left her with a weak heart and she had to take the greatest care of herself. When Tom Maitland proposed to her they were dismayed, for they were convinced that she was much too delicate for the strenuous state of marriage. But they were not too well off and Tom Maitland was rich. He promised to do everything in the world for Louise and finally they entrusted her to him as a sacred charge. Tom Maitland was a

mochte, so suchte sie eben deshalb meinen Umgang: es ärgerte sie, daß ich als einziger sie für eine komische Figur hielt, und sie konnte nicht ruhen, bis ich meinen Irrtum einsehen und mich geschlagen bekennen würde. Vielleicht hatte sie eine Ahnung, daß ich das Gesicht hinter der Maske sah, und weil ich allein standhaft blieb, wollte sie unbedingt erreichen, daß auch ich früher oder später die Maske für das Gesicht nehmen sollte.

Ich war mir nie ganz sicher, ob sie wirklich nur schwindelte. Ich überlegte, ob sie sich selbst so völlig betrog, wie sie alle Welt betrog, oder ob sich nicht doch ein Fünkchen Humor auf dem Grunde ihres Herzens fand. Wenn das zutraf, so fand sie vielleicht an mir Gefallen, wie zwei Schelme aneinander Gefallen finden mögen: weil sie wußte, daß wir ein Geheimnis teilten, das außer uns niemand kannte.

Ich kannte Louise schon vor ihrer Hochzeit. Damals war sie ein zartes, zerbrechliches Mädchen mit großen, melancholischen Augen. Ihr Vater und ihre Mutter umgaben sie mit ängstlicher Anbetung, denn von irgendeiner Krankheit, ich glaube, es war Scharlach, hatte sie ein schwaches Herz zurückbehalten, und sie mußte sehr auf sich achtgeben. Als Tom Maitland um sie anhielt, waren die Eltern tief bestürzt, denn sie waren überzeugt, daß sie viel zu zart sei für die Anstrengungen des Ehestandes. Aber sie lebten nicht in besonders guten Verhältnissen, und Tom Maitland war reich. Er versprach, alles Menschenmögliche für Louise zu tun, und sie vertrauten sie ihm schließlich als ein heiliges Vermächtnis an. Tom Maitland war ein großer, rauher Bur-

big, husky fellow, very good-looking, and a fine athlete. He doted on Louise. With her weak heart he could not expect to keep her with him long and he made up his mind to do everything he could to make her few years on earth happy. He gave up the games he excelled in, not because she wished him to, she was glad that he should play golf and hunt, but because by a coincidence she had a heart attack whenever he proposed to leave her for a day. If they had a difference of opinion she gave in to him at once, for she was the most submissive wife a man could have, but her heart failed her and she would be laid up, sweet and uncomplaining, for a week. He could not be such a brute as to cross her. Then they would have quite a little tussle about which she should yield and it was only with difficulty that at last he persuaded her to have her own way. On one occasion seeing her walk eight miles on an expedition that she particularly wanted to make, I suggested to Tom Maitland that she was stronger than one would have thought. He shook his head and sighed.

"No, no, she's dreadfully delicate. She's been to all the best heart specialists in the world and they all say that her life hangs on a thread. But she has an unconquerable spirit."

He told her that I had remarked on her endurance.

sche, sehr gut aussehend und ein großer Sportler. Er war ganz vernarrt in Louise. Bei ihrem schwachen Herzen würde sie ihm nicht lange erhalten bleiben, und er beschloß, alles zu tun, was in seinen Kräften stand, um ihre wenigen Erdenjahre glücklich zu machen. Er gab die Sportarten auf, in denen er hervorstach; nicht weil sie es gewünscht hätte, nein, sie wäre froh gewesen, wenn er Golf gespielt hätte oder auf die Jagd gegangen wäre, sondern weil sie zufällig immer dann einen Herzanfall hatte, wenn er sie auf einen Tag verlassen wollte. Hatten sie eine Meinungsverschiedenheit, so gab sie gleich nach, denn sie war die ergebenste Ehefrau, die man sich vorstellen konnte, aber ihr Herz setzte aus, und sie war dann eben eine Woche lang bettlägerig — lieblich und ohne Klage. Er konnte nicht so roh sein, gegen ihren Willen zu handeln.

Dann hatten sie jedesmal einen ganz kleinen Streit, in dem sie nachgab, und nur mit Mühe konnte er sie endlich überreden, zu tun, was *sie* wollte. Als ich einmal mit ansah, wie sie bei einem Ausflug, an dem ihr besonders lag, acht Meilen zu Fuß ging, machte ich Tom Maitland darauf aufmerksam, sie sei doch wohl stärker, als man meinen möchte. Aber er schüttelte den Kopf und seufzte.

«Nein, nein. Sie ist schrecklich zart. Sie ist bei den besten Herzspezialisten in der ganzen Welt gewesen, und sie sagen alle, daß ihr Leben an einem Faden hängt. Aber sie hat eine unbändige Willenskraft.»

Er erzählte ihr, daß ich von ihrer Ausdauer gesprochen hätte.

"I shall pay for it to-morrow," she said to me in her plaintive way. "I shall be at death's door."

"I sometimes think you're quite strong enough to do the things you want to," I murmured.

I had noticed that if a party was amusing she could dance till five in the morning, but if it was dull she felt very poorly and Tom had to take her home early. I am afraid she did not like my reply, for though she gave me a pathetic little smile I saw no amusement in her large blue eyes.

"You can't very well expect me to fall down dead just to please you," she answered.

Louise outlived her husband. He caught his death of cold one day when they were sailing and Louise needed all the rugs there were to keep her warm. He left her a comfortable fortune and a daughter. Louise was inconsolable. It was wonderful that she managed to survive the shock. Her friends expected her speedily to follow poor Tom Maitland to the grave. Indeed they already felt dreadfully sorry for Iris, her daughter, who would be left an orphan. They redoubled their attentions towards Louise. They would not let her stir a finger; they insisted on doing everything in the world to save her trouble. They had to, because if she was called upon to do anything tiresome or inconvenient her heart went back on her and there she was at death's door. She was entirely

«Morgen muß ich es büßen», sagte sie zu mir in ihrer wehleidigen Art. «Ich werde an der Schwelle des Todes stehen.»

«Es kommt mir manchmal so vor, als seien Sie durchaus kräftig genug, zu tun, woran Ihnen liegt», murmelte ich.

Ich hatte bemerkt, daß sie bis fünf Uhr morgens tanzen konnte, wenn eine Party nett war; war sie aber langweilig, dann fühlte sie sich gar nicht gut, und Tom mußte sie früh nach Hause bringen. Ich fürchte, daß meine Antwort ihr nicht gefiel, denn obwohl sie mir ein rührendes schwaches Lächeln schenkte, sah ich keine Heiterkeit in ihren großen blauen Augen.

«Sie können nicht gut erwarten, daß ich nur Ihnen zuliebe tot umfalle», erwiderte sie.

Louise überlebte ihren Mann. Er holte sich eines Tages den Tod durch eine Erkältung, als sie zusammen segelten und Louise alle vorhandenen Wolldecken benötigte, um sich warm zu halten. Er hinterließ ihr ein auskömmliches Vermögen und eine Tochter. Louise war untröstlich. Es war bewundernswert, wie sie es fertigbrachte, diesen Schlag zu überstehen. Ihre Freunde erwarteten, sie werde unverzüglich dem armen Tom ins Grab folgen. Ja, sie hatten schon größtes Mitleid mit Iris, ihrer Tochter, die als Waise zurückbleiben würde. Sie waren doppelt aufmerksam zu Louise. Sie ließen sie nicht einen Finger rühren; sie bestanden darauf, alles Erdenkliche zu tun, um ihr Schwierigkeiten zu ersparen. Und sie bekamen wirklich zu tun, denn wenn Louise etwas Lästiges oder Unbequemes erledigen sollte, machte sich ihr Herz bemerkbar, und schon stand sie an der Schwelle des Todes. Sie sei ganz verloren ohne einen

lost without a man to take care of her, she said, and she did not know how, with her delicate health, she was going to bring up her dear Iris. Her friends asked why she did not marry again. Oh, with her heart it was out of the question, though of course she knew that dear Tom would have wished her to, and perhaps it would be the best thing for Iris if she did; but who would want to be bothered with a wretched invalid like herself? Oddly enough more than one young man showed himself quite ready to undertake the charge and a year after Tom's death she allowed George Hobhouse to lead her to the altar. He was a fine, upstanding fellow and he was not at all badly off. I never saw anyone as grateful as he was for the privilege of being allowed to take care of this frail little thing.

"I shan't live to trouble you long," she said.

He was a soldier and an ambitious one, but he resigned his commission. Louise's health forced her to spend the winter at Monte Carlo and the summer at Deauville. He hesitated a little at throwing up his career, and Louise at first would not hear of it; but at last she yielded as she always yielded, and he prepared to make his wife's last few years as happy as might be.

"It can't be very long now," she said. "I'll try not to be troublesome."

For the next two or three years Louise managed,

Mann, der für sie sorge, sagte sie, und sie wisse nicht, wie sie bei ihrer zarten Gesundheit ihre liebe Iris aufziehen solle. Ihre Freunde fragten, warum sie nicht wieder heirate. Oh, bei ihrem Herzen sei das ganz ausgeschlossen, obwohl sie natürlich wisse, daß ihr lieber Tom es gewünscht hätte, und vielleicht wäre es ja für Iris das Beste, wenn sie es täte; aber wer würde sich schon mit einer elenden Kranken wie ihr abgeben wollen?

Sonderbar genug: mehr als ein junger Mann zeigte sich durchaus bereit, das Amt zu übernehmen, und ein Jahr nach Toms Tode erlaubte sie George Hobhouse, sie zum Altar zu führen. Er war ein tüchtiger Mann, eine ehrliche Haut, und alles andere als arm. Ich habe noch nie jemanden gesehen, der so dankbar war wie er für das Vorrecht, dieses zerbrechliche kleine Wesen umsorgen zu dürfen.

«Ich werde nicht lange leben und dir zur Last fallen», sagte sie.

Er war Soldat, und ein ehrgeiziger dazu, aber er quittierte den Dienst. Ihr Gesundheitszustand zwang Louise, den Winter in Monte Carlo und den Sommer in Deauville zu verbringen. Er zögerte ein wenig, seine Laufbahn aufzugeben, und Louise wollte zuerst auch nichts davon hören; aber schließlich gab sie nach, wie sie immer nachgab, und er schickte sich an, die letzten Jahre seiner Frau so glücklich wie möglich zu machen.

«Es kann nicht mehr für lange sein», sagte sie. «Ich will versuchen, dir nicht lästig zu sein.»

Während der nächsten zwei oder drei Jahre gelang es

notwithstanding her weak heart, to go beautifully dressed to all the most lively parties, to gamble very heavily, to dance and even to flirt with tall slim young men. But George Hobhouse had not the stamina of Louise's first husband and he had to brace himself now and then with a stiff drink for his day's work as Louise's second husband. It is possible that the habit would have grown on him, which Louise would not have liked at all, but very fortunately (for her) the war broke out. He rejoined his regiment and three months later was killed. It was a great shock to Louise. She felt, however, that in such a crisis she must not give way to a private grief; and if she had a heart attack nobody heard of it. In order to distract her mind she turned her villa at Monte Carlo into a hospital for convalescent officers. Her friends told her that she would never survive the strain.

"Of course it will kill me," she said, "I know that. But what does it matter? I must do my bit."

It didn't kill her. She had the time of her life. There was no convalescent home in France that was more popular. I met her by chance in Paris. She was lunching at the Ritz with a tall and very handsome young Frenchman. She explained that she was there on business connected with the hospital. She told me that the officers were too charming to her. They knew how delicate she was and they wouldn't let her do a single thing. They

Louise trotz ihres schwachen Herzens, schön angezogen auf die muntersten Parties zu gehen, hoch zu spielen, zu tanzen und sogar mit großen, schlanken jungen Männern zu flirten. Aber George Hobhouse hatte nicht die Ausdauer von Louises erstem Mann und mußte sich hin und wieder mit einem steifen Schluck für sein Tagewerk als Louises zweiter Mann stärken.

Möglicherweise wäre es ihm zur Gewohnheit geworden, und Louise hätte das gar nicht gefallen, aber zum großen Glück (für sie) brach der Krieg aus. Er rückte zu seinem Regiment ein und fiel drei Monate später. Es war ein schwerer Schlag für Louise. Sie fand aber, daß sie in so schwerer Lage ihrem persönlichen Kummer keinen Lauf lassen durfte, und wenn sie einen Herzanfall hatte, so erfuhr es doch niemand. Um sich abzulenken, verwandelte sie ihre Villa in Monte Carlo in ein Offiziersgenesungsheim. Ihre Freunde sagten zu ihr, sie werde diese Anstrengung nie überleben.

«Natürlich wird das mein Tod sein», erklärte sie, «das weiß ich. Aber was macht das? Ich muß meinen kleinen Beitrag leisten.»

Es war nicht ihr Tod. Sie verbrachte die schönste Zeit ihres Lebens. Es gab kein Genesungsheim in Frankreich, das beliebter gewesen wäre. Ich traf sie zufällig in Paris. Sie speiste im Ritz mit einem großen und sehr hübschen jungen Franzosen.

Sie erklärte, sie sei geschäftlich für ihr Lazarett dort. Sie erzählte mir, die Offiziere seien wirklich zu nett zu ihr. Sie wußten, wie zart sie war, und erlaubten

took care of her, well — as though they were all her husbands. She sighed.

"Poor George, who would ever have thought that I with my heart should survive him?"

"And poor Tom!" I said.

I don't know why she didn't like my saying that. She gave me her plaintive smile and her beautiful eyes filled with tears.

"You always speak as though you grudged me the few years that I can expect to live."

"By the way, your heart's much better, isn't it?"

"It'll never be better. I saw a specialist this morning and he said I must be prepared for the worst."

"Oh, well, you've been prepared for that for nearly twenty years now, haven't you?"

When the war came to an end Louise settled in London. She was now a woman of over forty, thin and frail still, with large eyes and pale cheeks, but she did not look a day more than twenty-five. Iris, who had been at school and was now grown up, came to live with her.

"She'll take care of me," said Louise. "Of course it'll be hard on her to live with such a great invalid as I am, but it can be for only such a little while, I'm sure she won't mind."

Iris was a nice girl. She had been brought up with the knowledge that her mother's health was

ihr nicht, das Geringste zu tun. Sie sorgten für sie, nun —
als ob sie alle ihre Ehemänner wären. Sie seufzte.

«Der arme George. Wer hätte je gedacht, daß ich mit
meinem Herzen ihn überleben würde?»

«Und der arme Tom!» sagte ich.

Ich weiß nicht, warum es ihr nicht gefiel, daß ich das
sagte. Sie schenkte mir ihr wehleidiges Lächeln, und ihre
schönen Augen füllten sich mit Tränen.

«Sie reden immer, als gönnten Sie mir die wenigen Jahre
nicht, die mir noch zu leben bleiben können.»

«Übrigens, Ihr Herz ist sehr viel besser geworden, nicht
wahr?»

«Es wird nie besser werden. Ich war heute morgen bei
einem Spezialisten, und er hat gesagt, ich müßte mich auf
das Schlimmste gefaßt machen.»

«Na schön, Sie haben sich ja nun schon seit fast zwanzig
Jahren darauf gefaßt gemacht, nicht wahr?»

Als der Krieg zu Ende war, ließ sich Louise in London
nieder. Sie war nun eine Frau von über vierzig Jahren, immer noch dünn und zerbrechlich, mit großen Augen und
bleichen Wangen, aber sie sah nicht einen Tag älter aus
als fünfundzwanzig. Iris, die zur Schule gegangen und nun
erwachsen war, zog zu ihr.

«Sie wird für mich sorgen», sagte Louise. «Natürlich wird
es sie hart ankommen, mit einer so Schwerkranken wie
mir zusammen zu leben, aber es kann ja nur für so kurze
Zeit sein; ich bin sicher, daß es ihr nichts ausmacht.»

Iris war ein reizendes Mädchen. Sie war aufgewachsen
in dem Wissen, daß die Gesundheit ihrer Mutter heikel

precarious. As a child she had never been allowed to make a noise. She had always realised that her mother must on no account be upset. And though Louise told her now that she would not hear of her sacrificing herself for a tiresome old woman the girl simply would not listen. It wasn't a question of sacrificing herself, it was a happiness to do what she could for her poor dear mother. With a sigh her mother let her do a great deal.

"It pleases the child to think she is making herself useful," she said.

"Don't you think she ought to go out and about more?" I asked.

"That's what I'm always telling her. I can't get her to enjoy herself. Heaven knows, I never want anyone to put themselves out on my account."

And Iris, when I remonstrated with her, said: "Poor dear mother, she wants me to go and stay with friends and go to parties, but the moment I start off anywhere she has one of her heart attacks, so I much prefer to stay at home."

But presently she fell in love. A young friend of mine, a very good lad, asked her to marry him and she consented. I liked the child and was glad that she was to be given at last the chance to lead a life of her own. She had never seemed to suspect that such a thing was possible. But one day the young man came to me in great distress and told

sei. Als Kind hatte sie nie ein Geräusch machen dürfen. Sie war sich immer klar darüber gewesen, daß ihre Mutter unter gar keinen Umständen aufgeregt werden durfte. Und obwohl Louise ihr jetzt sagte, sie wolle nichts davon hören, daß sie sich für eine langweilige alte Frau aufopfere, gehorchte das Mädchen ganz einfach nicht. Von Aufopfern konnte keine Rede sein, es war eine Freude für sie, für ihre arme alte Mutter alles zu tun, was in ihren Kräften stand. Seufzend ließ ihre Mutter sie sehr viel tun.

«Es bereitet dem Kind Freude, zu denken, sie mache sich nützlich», sagte sie.

«Meinen Sie nicht, sie sollte mehr unter Menschen kommen?»

«Das sage ich ihr ja immer. Ich kann sie nicht dazu bewegen, sich etwas zu gönnen. Der Himmel weiß, daß ich nie von jemandem verlangt habe, sich meinetwegen Beschränkungen aufzuerlegen.»

Und Iris sagte, als ich ihr Vorhaltungen machte: «Die arme, liebe Mutter, sie möchte, daß ich mit Freunden verkehre und Parties besuche, aber in dem Augenblick, wenn ich irgendwohin weggehe, bekommt sie einen ihrer Herzanfälle; deshalb bleibe ich viel lieber daheim.»

Aber bald darauf verliebte sie sich. Ein junger Freund von mir, ein sehr netter Bursche, bat sie um ihre Hand, und sie willigte ein. Ich mochte das Kind gerne leiden und war froh, daß sie endlich Gelegenheit bekommen sollte, ihr eigenes Leben zu führen. Sie hatte anscheinend nie daran gedacht, daß so etwas möglich sei. Aber eines Tages kam der junge Mann in großer Bedrängnis zu mir und erzählte,

me that his marriage was indefinitely postponed. Iris felt that she could not desert her mother. Of course it was really no business of mine, but I made the opportunity to go and see Louise. She was always glad to receive her friends at teatime and now that she was older she cultivated the society of painters and writers.

"Well, I hear that Iris isn't going to be married," I said after a little.

"I don't know about that. She's not going to be married quite as soon as I could have wished. I've begged her on my bended knees not to consider me, but she absolutely refuses to leave me."

"Don't you think it's rather hard on her?"

"Dreadfully. Of course it can be only for a few months, but I hate the thought of anyone sacrificing themselves for me."

"My dear Louise, you've buried two husbands, I can't see the least reason why you shouldn't bury at least two more."

"Do you think that's funny?" she asked me in a tone that she made as offensive as she could.

"I suppose it's never struck you as strange that you're always strong enough to do anything you want to and that your weak heart only prevents you from doing things that bore your?"

"Oh, I know, I know what you've always thought of me. You've never believed that I had anything the matter with me, have you?"

seine Heirat sei auf unbestimmte Zeit verschoben. Iris fand, sie dürfe ihre Mutter nicht allein lassen. Natürlich war das ganz und gar nicht meine Sache, aber ich fand eine Gelegenheit, Louise zu besuchen. Sie war immer froh, ihre Freunde zur Teestunde zu empfangen, und nun, da sie älter geworden war, pflegte sie den Umgang mit Malern und Schriftstellern.

«Sagen Sie, ich höre gerade, daß Iris nicht heiraten wird?» fragte ich nach einer Weile.

«Davon weiß ich nichts. Sie wird nicht ganz so bald heiraten, wie ich es gewünscht hätte. Ich habe sie kniefällig gebeten, nicht an mich zu denken, aber sie weigert sich rundweg, mich zu verlassen.»

«Meinen Sie nicht, daß es recht hart für sie ist?»

«Furchtbar hart. Natürlich kann es nur auf ein paar Monate sein, aber ich hasse den Gedanken, daß irgend jemand sich für mich opfern könnte.»

«Meine liebe Louise, Sie haben zwei Ehemänner begraben, und ich sehe nicht den geringsten Grund, warum Sie nicht noch mindestens zwei weitere begraben sollten.»

«Finden Sie das sehr witzig?» fragte sie mich in einem Ton, den sie so beleidigend wie möglich machte.

«Ich nehme an, es ist Ihnen nie aufgefallen, daß Sie immer stark genug sind, um alles zu tun, woran Ihnen liegt, und daß Ihr schwaches Herz Sie nur an den Dingen hindert, die Ihnen unangenehm sind?»

«Oh, ich weiß, ich weiß, was Sie schon immer von mir gedacht haben. Sie haben nie geglaubt, daß ich irgend etwas Ernsthaftes hätte, nicht wahr?»

I looked at her full and square.

"Never. I think you've carried out for twenty-five years a stupendous bluff. I think you're the most selfish and monstrous woman I have ever known. You ruined the lives of those two wretched men you married and now you're going to ruin the life of your daughter."

I should not have been surprised if Louise had had a heart attack then. I fully expected her to fly into a passion. She merely gave me a gentle smile.

"My poor friend, one of these days you'll be so dreadfully sorry you said this to me."

"Have you quite determined that Iris shall not marry this boy?"

"I've begged her to marry him. I know it'll kill me, but I don't mind. Nobody cares for me. I'm just a burden to everybody."

"Did you tell her it would kill you?"

"She made me."

"As if anyone ever made you do anything that you were not yourself quite determined to do."

"She can marry her young man to-morrow if she likes. If it kills me, it kills me."

"Well, let's risk it, shall we?"

"Haven't you got any compassion for me?"

"One can't pity anyone who amuses one as much as you amuse me," I answered.

A faint spot of colour appeared on Louise's pale

Ich blickte sie offen und gerade an.

«Nie. Ich glaube, Sie haben fünfundzwanzig Jahre lang eine erstaunliche Komödie durchgehalten. Ich glaube, Sie sind die selbstsüchtigste und widernatürlichste Frau, die ich je gesehen habe. Sie haben das Leben der beiden unglücklichen Männer zerstört, die Sie geheiratet haben, und nun sind Sie dabei, das Leben Ihrer Tochter zu zerstören.»

Es würde mich nicht überrascht haben, wenn Louise nun einen Herzanfall bekommen hätte. Ich war ganz darauf gefaßt, daß sie in Wut geraten würde. Aber sie schenkte mir nur ein anmutiges Lächeln.

«Armer Freund, eines gar nicht fernen Tages wird es Ihnen schrecklich leid tun, daß Sie mir dies gesagt haben.»

«Haben Sie ganz fest beschlossen, daß Iris diesen Jungen nicht heiraten soll?»

«Ich habe sie gebeten, ihn zu heiraten. Ich weiß, daß es mein Tod sein wird, aber das macht nichts. An mich denkt ja niemand. Ich falle nur allen zur Last.»

«Haben Sie ihr gesagt, daß es Ihr Tod sein würde?»

«Sie hat mich dazu gezwungen.»

«Als ob irgend jemand Sie jemals gezwungen hätte, irgend etwas zu tun, was Sie nicht selbst fest vorhatten.»

«Sie kann ihren jungen Mann morgen heiraten, wenn sie will. Wenn es mein Tod ist, ist es eben mein Tod.»

«Schön, lassen wir es doch darauf ankommen, oder?»

«Haben Sie denn gar kein Mitleid mit mir?»

«Jemand, der einem so viel Spaß macht wie Sie mir, kann einem nicht leid tun», erwiderte ich.

Ein schwacher Farbtupfen erschien auf Louises bleichen

cheeks and though she smiled still her eyes were hard and angry.

"Iris shall marry in a month's time," she said, "and if anything happens to me I hope you and she will be able to forgive yourselves."

Louise was as good as her word. A date was fixed, a trousseau of great magnificence was ordered, and invitations were issued. Iris and the very good lad were radiant. On the wedding-day, at ten o'clock in the morning, Louise, that devilish woman, had one of her heart attacks — and died. She died gently forgiving Iris for having killed her.

Wangen, und obwohl sie noch lächelte, waren ihre Augen hart und böse.

«Iris soll in einem Monat heiraten», sagte sie, «und wenn mir irgend etwas zustößt, hoffe ich nur, daß Sie und Iris es fertigbringen, es sich zu verzeihen.»

Louise stand zu ihrem Wort. Ein Termin wurde festgesetzt, eine Aussteuer von großer Pracht bestellt und Einladungen verschickt. Iris und der freundliche junge Mann strahlten. Am Hochzeitstage, um zehn Uhr morgens, bekam Louise, dieses Teufelsweib, einen ihrer Herzanfälle — und starb. Sie starb, indem sie Iris liebevoll verzieh, sie in den Tod getrieben zu haben.

"Pictures," said Mr. Bigger; "you want to see some pictures? Well, we have a very interesting mixed exhibition of modern stuff in our galleries at the moment. French and English, you know."

The customer held up his hand, shook his head. "No, no. Nothing modern for me," he declared, in his pleasant northern English. "I want real pictures, old pictures. Rembrandt and Sir Joshua Reynolds and that sort of thing."

"Perfectly." Mr. Bigger nodded. "Old Masters. Oh, of course we deal in the old as well as the modern."

"The fact is," said the other, "that I've just bought a rather large house — a Manor House," he added, in impressive tones.

Mr. Bigger smiled; there was an ingenuousness about this simple-minded fellow which was most engaging. He wondered how the man had made his money. "A Manor House." The way he had said it was really charming. Here was a man who had worked his way up from serfdom to the lordship of a manor, from the broad base of the

«Gemälde», sagte Herr Bigger, «Sie möchten sich ein paar Gemälde ansehen? Wir haben da gerade eine sehr interessante Ausstellung von verschiedenen modernen Sachen in unserer Sammlung. Französische und englische, wissen Sie.»

Der Kunde hob die Hand und schüttelte den Kopf. «Nein, nein. Für mich nichts Modernes», erklärte er mit seinem netten nordenglischen Akzent. «Ich möchte richtige Bilder, alte Bilder. Rembrandt und Joshua Reynolds und etwas in der Art.»

«Sehr wohl.» Herr Bigger nickte. «Alte Meister. Oh, natürlich führen wir die Alten ebenso wie die Neuen.»

«Die Sache ist die», sagte der andere, «daß ich gerade ein ziemlich großes Haus gekauft habe — einen Landsitz», fügte er mit eindrucksvoller Betonung hinzu.

Herr Bigger lächelte; dieser einfältige Zeitgenosse hatte eine höchst anziehende Unbefangenheit. Er hätte gerne gewußt, wie dieser Mann wohl zu seinem Geld gekommen war. «Ein Landsitz.» Die Art, wie er das gesagt hatte, war wirklich entzückend. Da war also ein Mann, der sich aus der Leibeigenschaft zum Herrenstand eines Landsitzbewohners emporgearbeitet hatte, von der breiten Basis der Feu-

feudal pyramid to the narrow summit. His own history and all the history of classes had been implicit in that awed proud emphasis on the "Manor". But the stranger was running on; Mr. Bigger could not allow his thoughts to wander farther. "In a house of this style," he was saying, "and with a position like mine to keep up, one must have a few pictures. Old Masters, you know; Rembrandts and What's-his-names."

"Of course," said Mr. Bigger, "an Old Master is a symbol of social superiority."

"That's just it," cried the other, beaming, "you have said just what I wanted to say."

Mr. Bigger bowed and smiled. It was delightful to find some one who took one's little ironies as sober seriousness.

"Of course, we should only need Old Masters downstairs, in the reception-room. It would be too much of a good thing to have them in the bedrooms too."

"Altogether too much of a good thing," Mr. Bigger assented.

"As a matter of fact," the Lord of the Manor went on, "my daughter — she does a bit of sketching. And very pretty it is. I'm having some of her things framed to hang in the bedrooms. It's useful having an artist in the family. Saves you buying pictures. But, of course, we must have something old downstairs."

dalpyramide zu ihrer schmalen Spitze. Seine eigene Geschichte und die ganze Geschichte der Gesellschaftsklassen hatte in dieser ehrfurchtgebietenden stolzen Betonung des «Landsitzes» gelegen. Aber der Fremde sprach weiter; Herr Bigger durfte seinen Gedanken nicht weiter freien Lauf lassen. «In einem Haus von solchem Stil», sagte er gerade, «und wenn man sich einer Stellung wie der meinen würdig erweisen will, braucht man ein paar Bilder. Alte Meister, wissen Sie; Rembrandt und Dingsda . . .»

«Selbstverständlich», sagte Herr Bigger, «ein alter Meister ist ein Symbol sozialer Überlegenheit.»

«So ist es», rief der andere strahlend, «Sie haben genau das gesagt, was ich sagen wollte.»

Herr Bigger machte eine Verbeugung und lächelte. Es war köstlich, jemanden gefunden zu haben, der einem seine kleinen ironischen Bemerkungen als vollen Ernst abnahm.

«Natürlich werden wir alte Meister nur unten in der Empfangshalle brauchen. Es wäre wohl zuviel des Guten, auch noch welche in die Schlafzimmer zu hängen.»

«Ja, allerdings zuviel des Guten», bestätigte Herr Bigger.

«Nämlich», fuhr der Herr des Landsitzes fort, «meine Tochter — die zeichnet ein bißchen. Sehr schön sogar. Ich lasse gerade ein paar von ihren Sachen rahmen, um sie in den Schlafzimmern aufzuhängen. Sehr nützlich, einen Künstler in der Familie zu haben. Braucht man keine Bilder zu kaufen. Aber unten müssen wir natürlich was Altes haben.»

"I think I have exactly what you want." Mr. Bigger got up and rang the bell. "My daughter does a little sketching" — he pictured a large, blonde, barmaidish personage, thirty-one and not yet married, running a bit to seed. His secretary appeared at the door. "Bring me the Venetian portrait, Miss Pratt, the one in the back room. You know which I mean."

"You're very snug in here," said the Lord of the Manor. "Business good, I hope."

Mr. Bigger sighed. "The slump," he said. "We art dealers feel it worse than any one."

"Ah, the slump." The Lord of the Manor chuckled. "I foresaw it all the time. Some people seemed to think the good times were going to last for ever. What fools! I sold out of everything at the crest of the wave. That's why I can buy pictures now."

Mr. Bigger laughed too. This was the right sort of customer. "Wish I'd had anything to sell out during the boom," he said.

The Lord of the Manor laughed till the tears rolled down his cheeks. He was still laughing when Miss Pratt re-entered the room. She carried a picture, shieldwise, in her two hands, before her.

"Put it on the easel, Miss Pratt," said Mr. Bigger. "Now," he turned to the Lord of the Manor, "what do you think of that?"

The picture that stood on the easel before them

«Ich glaube, ich habe genau das, was Sie wünschen.»
Herr Bigger stand auf und drückte auf die Klingel. «Meine
Tochter zeichnet ein bißchen» — er stellte sich eine große,
blonde, wie eine Kellnerin aussehende Person vor, einunddreißig Jahre alt, noch nicht verheiratet und schon etwas
verblüht. Seine Sekretärin erschien in der Tür. «Bringen
Sie mir das venezianische Portrait, Fräulein Pratt, das aus
dem hinteren Raum. Sie wissen schon, welches ich meine.»

«Sie haben es sehr gemütlich hier», sagte der Herr des
Landsitzes, «die Geschäfte gehen gut, hoffe ich.»

Herr Bigger seufzte. «Die Geldknappheit», sagte er, «wir
Kunsthändler spüren sie schlimmer als irgend jemand.»

«Ah, die Geldknappheit.» Der Herr des Landsitzes
kicherte. «Ich habe sie die ganze Zeit vorausgesehen. Manche Leute haben offenbar geglaubt, es würde immer so weitergehen mit den guten Zeiten. Dummköpfe! Ich habe alles
noch auf dem Kamm der Welle ausverkauft. Deshalb kann
ich jetzt Bilder kaufen.»

Herr Bigger lachte ebenfalls. Das war der richtige Kunde. «Ich wünschte, ich hätte während der Hochkonjunktur
etwas für den Ausverkauf gehabt», sagte er.

Der Herr des Landsitzes lachte, bis ihm die Tränen über
die Wangen liefen. Er lachte noch, als Fräulein Pratt das
Zimmer wieder betrat. Sie trug ein Gemälde mit beiden
Händen vor sich her wie einen Schild.

«Stellen Sie es auf die Staffelei, Fräulein Pratt», sagte
Herr Bigger. «Na», meinte er, zum Herrn des Landsitzes gewandt, «was halten Sie davon?»

Das Gemälde, das da vor ihnen auf der Staffelei stand,

was a halflength portrait. Plump-faced, white-skinned, high-bosomed in her deeply scalloped dress of blue silk, the subject of the picture seemed a typical Italian lady of the middle eighteenth century. A little complacent smile curved the pouting lips, and in one hand she held a black mask, as though she had just taken it off after a day of carnival.

"Very nice," said the Lord of the Manor; but he added doubtfully, "It isn't very like Rembrandt, is it? It's all so clear and bright. Generally in Old Masters you can never see anything at all, they are so dark and foggy."

"Very true," said Mr. Bigger. "But not all Old Masters are like Rembrandt."

"I suppose not." The Lord of the Manor seemed hardly to be convinced.

"This is eighteenth-century Venetian. Their colour was always luminous. Giangolini was the painter. He died young, you know. Not more than half a dozen of his pictures are known. And this is one."

The Lord of the Manor nodded. He could appreciate the value of rarity.

"One notices at a first glance the influence of Longhi," Mr. Bigger went on airily. "And there is something of the morbidezza of Rosalba in the painting of the face."

The Lord of the Manor was looking uncomfort-

war ein Brustbild. Gegenstand des Portraits, mit vollen Gesichtszügen, weißer Haut und hohem Busen in einem tief ausgeschnittenen Seidenkleid, schien eine typische italienische Dame aus der Mitte des achtzehnten Jahrhunderts zu sein. Ein selbstzufriedenes Lächeln verzog ihre schmollenden Lippen, und in der einen Hand hielt sie eine schwarze Maske, als hätte sie sie gerade nach einem Karnevalstag abgenommen.

«Sehr hübsch», sagte der Herr des Landsitzes; aber er setzte mißtrauisch hinzu: «Es sieht nicht sehr nach Rembrandt aus, nicht wahr? Es ist alles so klar und hell. Bei alten Meistern kann man doch im allgemeinen gar nichts erkennen, die sind doch ganz dunkel und trübe.»

«Sehr wahr», sagte Herr Bigger. «Aber nicht alle alten Meister sind wie Rembrandt.»

«Mag sein.» Der Herr des Landsitzes schien nicht ganz überzeugt.

«Dies ist ein Venezianer aus dem achtzehnten Jahrhundert. Die hatten stets leuchtende Farben. Giangolini hieß der Maler. Er ist jung gestorben, müssen Sie wissen. Es sind nicht mehr als ein halbes Dutzend seiner Gemälde bekannt. Und dies ist eines davon.»

Der Herr des Landsitzes nickte. Den Wert der Seltenheit wußte er zu schätzen.

«Man bemerkt auf den ersten Blick den Einfluß von Longhi», fuhr Herr Bigger lebhaft fort. «Und in der Auffassung des Gesichts liegt etwas von der Morbidezza Rosalbas.»

Der Herr des Landsitzes blickte unbehaglich von Herrn

ably from Mr. Bigger to the picture and from the picture to Mr. Bigger. There is nothing so embarrassing as to be talked at by some one possessing more knowledge than you do. Mr. Bigger pressed his advantage.

"Curious," he went on, "that one sees nothing of Tiepolo's manner in this. Don't you think so?"

The Lord of the Manor nodded. His face wore a gloomy expression. The corners of his baby's mouth drooped. One almost expected him to burst into tears.

"It's pleasant," said Mr. Bigger, relenting at last, "to talk to somebody who really knows about painting. So few people do."

"Well, I can't say I've ever gone into the subject very deeply," said the Lord of the Manor modestly. "But I know what I like when I see it." His face brightened again, as he felt himself on safer ground.

"A natural instinct," said Mr. Bigger. "That's a very precious gift. I could see by your face that you had it; I could see that the moment you came into the gallery."

The Lord of the Manor was delighted. "Really, now," he said. He felt himself growing larger, more important. "Really." He cocked his head critically on one side. "Yes. I must say I think that's a very fine bit of painting. Very fine. But the fact is, I should rather have liked a more

Bigger zum Bild und vom Bild zu Herrn Bigger. Nichts bringt einen mehr in Verlegenheit, als wenn einem jemand etwas erzählt, der mehr Kenntnisse hat als man selbst. Herr Bigger nützte seinen Vorteil aus.

«Erstaunlich», fuhr er fort, «daß man nichts von Tiepolos Malweise hier erkennt. Finden Sie nicht auch?»

Der Herr des Landsitzes nickte. Sein Gesicht zeigte einen schwermütigen Ausdruck. Die Winkel seines Kindermundes hingen schlaff herunter. Fast erwartete man, er werde in Tränen ausbrechen.

«Es ist ein Genuß», sagte Herr Bigger und ließ sich endlich erweichen, «mit jemandem zu sprechen, der wirklich etwas von Malerei versteht. Das ist bei so wenig Menschen der Fall.»

«Nun, ich kann nicht sagen, daß ich sehr tief in die Materie eingedrungen wäre», meinte der Herr des Landsitzes bescheiden. «Aber ich weiß, was mir gefällt, wenn ich es sehe.» Sein Gesicht hellte sich auf, weil er sich wieder auf festem Boden fühlte.

«Ein natürlicher Instinkt», sagte Herr Bigger. «Das ist eine sehr wertvolle Gabe. Ich konnte es Ihrem Gesicht ansehen, daß Sie diese Gabe haben, ich konnte das in dem Augenblick sehen, als Sie die Galerie betraten.»

Der Herr des Landsitzes war entzückt. «Nun ja», sagte er. Er fühlte sich größer, bedeutender werden. «Nun ja.» Er legte den Kopf kritisch auf die Seite.

«Doch, ich muß zugeben, das ist etwas sehr Schönes, ein sehr gutes Bild. Aber eigentlich wäre mir eine mehr historische Sache lieber

historical piece, if you know what I mean. Something more ancestor-like, you know. A portrait of somebody with a story — like Anne Boleyn, or Nell Gwynn, or the Duke of Wellington, or some one like that."

"But, my dear sir, I was just going to tell you. This picture has a story." Mr. Bigger leaned forward and tapped the Lord of the Manor on the knee. His eyes twinkled with benevolent and amused brightness under his bushy eyebrows. There was a knowing kindliness in his smile. "A most remarkable story is connected with the painting of that picture."

"You don't say so?" The Lord of the Manor raised his eyebrows.

Mr. Bigger leaned back in his chair. "The lady you see there," he said, indicating the portrait with a wave of the hand, "was the wife of the fourth Earl Hurtmore. The family is now extinct. The ninth Earl died only last year. I got this picture when the house was sold up. It's sad to see the passing of these old ancestral homes." Mr. Bigger sighed. The Lord of the Manor looked solemn, as though he were in church. There was a moment's silence; then Mr. Bigger went on in a changed tone. "From his portraits, which I have seen, the fourth Earl seems to have been a long-faced, gloomy, grey-looking fellow. One can never imagine him young; he was the sort of man

gewesen, wenn Sie wissen, was ich damit meine. Etwas mehr Ahnenhaftes, wissen Sie. Ein Portrait von jemandem mit einer Geschichte — so jemand wie Anne Boleyn oder wie Nell Gwynn oder wie der Herzog von Wellington oder so jemand.»

«Aber mein lieber Herr, ich wollte Ihnen ja gerade erzählen. Dieses Gemälde *hat* eine Geschichte.» Herr Bigger lehnte sich vor und berührte den Herrn des Landsitzes am Knie. Seine Augen funkelten vor wohlwollender und belustigter Lebhaftigkeit unter den buschigen Augenbrauen. Wohlwissende Freundlichkeit lag in seinem Lächeln. «Eine höchst bemerkenswerte Geschichte ist mit dem Zustandekommen dieses Gemäldes verbunden.»

«Was Sie nicht sagen?» Der Herr des Landsitzes hob die Augenbrauen.

Herr Bigger lehnte sich in den Stuhl zurück. «Die Dame, die Sie hier sehen», sagte er und zeigte mit einer Handbewegung auf das Bild, «war die Frau des vierten Grafen Hurtmore. Die Familie ist jetzt erloschen. Der neunte Graf ist erst im letzten Jahr gestorben. Ich erwarb dieses Gemälde, als das Haus versteigert wurde. Es ist betrüblich, dem Untergang dieser alten Stammschlösser beizuwohnen.» Herr Bigger seufzte. Der Herr des Landsitzes blickte feierlich, als wäre er in der Kirche. Einen Augenblick herrschte Schweigen, dann fuhr Herr Bigger mit veränderter Stimme fort: «Nach seinen Portraits zu schließen, die ich gesehen habe, war der vierte Graf ein langschädeliger, düsterer Bursche von grauer Gesichtsfarbe. Man kann sich nicht vorstellen, daß er jemals jung war; er gehörte zu denen,

who looks permanently fifty. His chief interests in life were music and Roman antiquities. There is one portrait of him holding an ivory flute in one hand and resting the other on a fragment of Roman carving. He spent at least half his life travelling in Italy, looking for antiques and listening to music. When he was about fifty-five, he suddenly decided that it was about time to get married. This was the lady of his choice." Mr. Bigger pointed to the picture. "His money and his title must have made up for many deficiencies. One can't imagine, from her appearance, that Lady Hurtmore took a great deal of interest in Roman antiquities. Nor, I should think, did she care much for the science and history of music. She liked clothes, she liked society, she liked gambling, she liked flirting, she liked enjoying herself. It doesn't seem that the newly wedded couple got on too well. But still, they avoided an open breach. A year after the marriage Lord Hurtmore decided to pay another visit to Italy. They reached Venice in the early autumn. For Lord Hurtmore, Venice meant unlimited music. It meant Galuppi's daily concerts at the orphanage of the Misericordia. It meant Piccini at Santa Maria. It meant new operas at the San Moise; it meant delicious cantatas at a hundred churches. It meant private concerts of amateurs; it meant Porpora and the finest singers in Europe; it meant

die immer fünfzig Jahre alt aussehen. Seine Hauptinteressen im Leben waren Musik und römische Altertümer. Es gibt ein Portrait von ihm, auf dem er eine elfenbeinerne Flöte in der einen Hand hält und die andere Hand auf das Bruchstück einer römischen Plastik stützt. Er hat mindestens sein halbes Leben auf Italienreisen zugebracht, indem er Altertümer suchte und Musik hörte. Als er etwa fünfundfünfzig Jahre alt war, beschloß er plötzlich, jetzt sei es wohl an der Zeit, zu heiraten. Und dies war die Dame seiner Wahl.» Herr Bigger deutete auf das Bild. «Sein Geld und sein Titel werden manche Mängel haben ausgleichen müssen. Nach ihrem Aussehen kann man sich nicht vorstellen, daß Lady Hurtmore ausnehmend großes Interesse an römischen Altertümern hatte. Noch wird sie sich, meine ich, viel um Musikgeschichte und Musikwissenschaft gekümmert haben. Sie liebte Kleider, sie liebte Gesellschaft, sie liebte das Glücksspiel, sie liebte den Flirt, sie wollte ihr Vergnügen haben. Es scheint, als habe sich das jungvermählte Paar nicht allzugut verstanden. Aber sie vermieden doch den offenen Bruch.

Ein Jahr nach der Hochzeit beschloß Lord Hurtmore, wieder nach Italien zu reisen. Im Frühherbst kamen sie in Venedig an. Für Lord Hurtmore bedeutete Venedig unendlich viel Musik. Es bedeutete Galuppis tägliche Konzerte im Waisenhaus zur Misericordia. Es bedeutete Piccini in Santa Maria. Es bedeutete neue Opern in San Moisé; es bedeutete wundervolle Konzerte in hundert Kirchen. Es bedeutete private Liebhaberkonzerte; es bedeutete Porpora und die besten Sänger Europas; es be-

Tartini and the greatest violinists. For Lady Hurtmore, Venice meant something rather different. It meant gambling at the Ridotto, masked balls, gay supper-parties — all the delights of the most amusing city in the world. Living their separate lives, both might have been happy here in Venice almost indefinitely. But one day Lord Hurtmore had the disastrous idea of having his wife's portrait painted. Young Giangolini was recommended to him as the promising, the coming painter. Lady Hurtmore began her sittings. Giangolini was handsome and dashing, Giangolini was young. He had an amorous technique as perfect as his artistic technique. Lady Hurtmore would have been more than human if she had been able to resist him. She was not more than human."

"None of us are, eh?" The Lord of the Manor dug his finger into Mr. Bigger's ribs and laughed.

Politely, Mr. Bigger joined in his mirth; when it had subsided, he went on. "In the end they decided to run away together across the border. They would live at Vienna — live on the Hurtmore family jewels, which the lady would be careful to pack in her suitcase. They were worth upwards of twenty thousand, the Hurtmore jewels; and in Vienna, under Maria-Theresa, one could live handsomely on the interest of twenty thousand.

"The arrangements were easily made. Giangolini had a friend who did everything for them —

deutete Tartini und die größten Geiger. Für Lady Hurtmore bedeutete Venedig etwas erheblich anderes. Es bedeutete Glücksspiel im Ridotto, Maskenbälle, lustige Abendgesellschaften — die ganzen Freuden der unterhaltsamsten Stadt von der Welt. Hätte jeder sein Leben für sich gelebt, so hätten beide hier in Venedig auf fast unendliche Zeit glücklich leben können. Aber eines Tages kam Lord Hurtmore auf den unheilvollen Gedanken, das Portrait seiner Frau malen zu lassen. Der junge Giangolini wurde ihm als der vielversprechende, kommende Maler genannt. Lady Hurtmore begann ihre Sitzungen. Giangolini war verwirrend schön, Giangolini war jung. Seine Fertigkeit in der Liebe war so vollkommen wie seine Fertigkeit in der Kunst. Lady Hurtmore hätte ein übermenschliches Wesen sein müssen, um ihm widerstehen zu können. Sie war aber kein übermenschliches Wesen.»

«Wir beide ja auch nicht, oder?» Der Herr des Landsitzes stieß Herrn Bigger mit dem Finger in die Rippen und lachte.

Herr Bigger schloß sich seiner Fröhlichkeit höflich an; als sie nachgelassen hatte, fuhr er fort: «Schließlich beschlossen sie, zusammen über die Grenze zu entfliehen. Sie würden in Wien leben — von dem Familienschmuck der Hurtmores, den die Lady sorgfältig in ihr Köfferchen packen würde. Er war über zwanzigtausend Pfund wert, der Schmuck der Hurtmores, und im Wien der Maria Theresia konnte man recht großzügig von den Zinsen von zwanzigtausend Pfund leben.

Die Vorbereitungen waren leicht getroffen. Giangolini hatte einen Freund, der alles für sie erledigte — er besorgte

got them passports under an assumed name, hired horses to be in waiting on the mainland, placed his gondola at their disposal. They decided to flee on the day of the last sitting. The day came. Lord Hurtmore, according to his usual custom, brought his wife to Giangolini's studio in a gondola, left her there, perched on the high-backed model's throne, and went off again to listen to Galuppi's concert at the Misericordia. It was the time of full carnival. Even in broad daylight people went about in masks. Lady Hurtmore wore one of black silk — you see her holding it, there, in the portrait. Her husband, though he was no reveller and disapproved of carnival junketings, preferred to conform to the grotesque fashion of his neighbours rather than attract attention to himself by not conforming.

"The long black cloak, the huge three-cornered black hat, the long-nosed mask of white paper were the ordinary attire of every Venetian gentleman in these carnival weeks. Lord Hurtmore did not care to be conspicuous; he wore the same. There must have been something richly absurd and incongruous in the spectacle of this grave and solemn-faced English milord dressed in the clown's uniform of a gay Venetian masker. 'Pantaloon in the clothes of Pulcinella,' was how the lovers described him to one another; the old dotard of the eternal comedy dressed up as the

ihnen Pässe unter angenommenen Namen, mietete Pferde, die auf dem Festland warten sollten, und er stellte ihnen seine Gondel zur Verfügung. Sie beschlossen, am Tag der letzten Sitzung zu fliehen. Der Tag kam. Lord Hurtmore brachte nach seiner Gewohnheit seine Gattin in einer Gondel zu Giangolinis Atelier, sah sie dort noch auf dem Modellstuhl mit der hohen Lehne sitzen und ging wieder fort, um Galuppis Konzert in der Misericordia zu hören.

Es war die hohe Zeit des Karnevals. Selbst im hellen Tageslicht liefen die Leute in Masken herum. Lady Hurtmore trug eine aus schwarzer Seide — Sie sehen, sie trägt sie auch hier im Bild. Ihr Gatte war zwar kein Lebemann und mißbilligte die Karnevalsbelustigungen, aber dennoch paßte er sich lieber den grotesken Sitten seiner Nachbarn an, als durch mangelnde Anpassung die Aufmerksamkeit auf sich zu lenken.

Ein langer schwarzer Mantel, ein großer schwarzer Dreispitz und eine langnasige weiße Pappmaske bildeten die übliche Kleidung jedes venezianischen Herrn in diesen Karnevalswochen. Lord Hurtmore lag nichts daran, aufzufallen; er trug dasselbe.

Er muß einen großartig albernen und widersinnigen Anblick geboten haben, dieser ernste und feierlich dreinschauende englische Lord im Narrengewand einer lustigen venezianischen Maske. ‹Pantalone in den Kleidern von Pulcinella› — so nannten ihn die Liebenden untereinander; der verliebte Tattergreis der unsterblichen Komödie, als Clown herausstaffiert. Nun gut, an die-

clown. Well, this morning, as I have said, Lord Hurtmore came as usual in his hired gondola, bringing his lady with him. And she her turn was bringing, under the folds of her capacious cloak, a little leather box wherein, snug, on their silken bed, reposed the Hurtmore jewels. Seated in the dark little cabin of the gondola they watched the churches, the richly fretted palazzi, the high mean houses gliding past them. From under his Punch's mask Lord Hurtmore's voice spoke gravely, slowly, imperturbably."

"'The learned Father Martini,' he said, 'has promised to do me the honour of coming to dine with us to-morrow. I doubt if any man knows more of musical history than he. I will ask you to be at pains to do him special honour.'"

"'You may be sure I will, my lord.' She could hardly contain the laughing excitement that bubbled up within her. To-morrow at dinner-time she would be far away — over the frontier, beyond Gorizia, galloping along the Vienna road. Poor old Pantaloon! But no, she wasn't in the least sorry for him. After all, he had his music, he had his odds and ends of broken marble. Under her cloak she clutched the jewel-case more tightly. How intoxicatingly amusing her secret was!"

Mr. Bigger clasped his hands and pressed them dramatically over his heart. He was enjoying himself. He turned his long, foxy nose towards the

sem Morgen also kam Lord Hurtmore, wie gesagt, wie gewöhnlich in seiner Mietgondel und brachte seine Gattin mit. Und sie ihrerseits brachte in den Falten ihres weiten Mantels ein kleines Lederkästchen mit, in dem, wohlverwahrt auf seidenem Lager, der Hurtmore-Schmuck ruhte. Sie saßen in der dunklen kleinen Kabine der Gondel und sahen zu, wie die Kirchen, die reich mit Maßwerk verzierten Palazzi und die hohen, ärmlichen Bürgerhäuser an ihnen vorbeiglitten. Hinter seiner Hanswurst-Maske hervor ertönte Lord Hurtmores ernste, bedächtige, gleichmütige Stimme.

‹Der gelehrte Pater Martini›, sagte er, ‹hat zugesagt, mir die Ehre anzutun, morgen zum Mittagessen zu uns zu kommen. Ich glaube nicht, daß irgend jemand mehr von Musikgeschichte versteht als er. Ich möchte Euch bitten, darauf bedacht zu sein, ihm besondere Ehre zu erweisen.›

‹Verlaßt Euch darauf, Milord.› Dabei konnte sie kaum den Lachreiz bändigen, der in ihr aufstieg. Morgen zur Mittagszeit würde sie weit weg sein — jenseits der Grenze, hinter Görz, im Galopp auf der Straße nach Wien.

Armer alter Pantalone! Aber nein, er tat ihr nicht im geringsten leid. Er hatte schließlich seine Musik, er hatte den alten Plunder seiner Marmortrümmer. Unter ihrem Mantel faßte sie das Schmuckkästchen fester. Wie berauschend lustig war ihr Geheimnis!»

Herr Bigger faltete die Hände und drückte sie dramatisch auf sein Herz. Er unterhielt sich prächtig. Er wandte seine lange Fuchsnase dem Herrn des Landsitzes zu und lächelte

Lord of the Manor, and smiled benevolently. The Lord of the Manor for his part was all attention.

"Well?" he inquired.

Mr. Bigger unclasped his hands, and let them fall on to his knees.

"Well," he said, "the gondola draws up at Giangolini's door, Lord Hurtmore helps his wife out, leads her up to the painter's great room on the first floor, commits her into his charge with his usual polite formula, and then goes off to hear Galuppi's morning concert at the Misericordia. The lovers have a good two hours to make their final preparations."

"Old Pantaloon safely out of sight, up pops the painter's useful friend, masked and cloaked like every one else in the streets and on the canals of this carnival Venice. There follow embracements and handshakings and laughter all round; everything has been so marvellously successful, not a suspicion roused. From under Lady Hurtmore's cloak comes the jewel-case. She opens it, and there are loud Italian exclamations of astonishment and admiration. The brilliants, the pearls, the great Hurtmore emeralds, the ruby clasps, the diamond ear-rings — all these bright, glittering things are lovingly examined, knowingly handled. Fifty thousand sequins at the least is the estimate of the useful friend. The two lovers throw themselves ecstatically into one another's arms."

wohlwollend. Der Herr des Landsitzes seinerseits war ganz Ohr.

«Und dann?» fragte er.

Herr Bigger nahm die Hände auseinander und ließ sie auf seine Knie fallen.

«Und dann», sagte er, «fährt die Gondel vor Giangolinis Tür, Lord Hurtmore hilft seiner Frau heraus, führt sie hinauf in den Ersten Stock zu dem großen Zimmer des Malers, vertraut sie ihm mit seiner gewohnten höflichen Redensart an und geht dann fort, um Galuppis Morgenkonzert in der Misericordia zu hören. Die Liebenden haben reichlich zwei Stunden, um ihre letzten Vorbereitungen zu treffen.

Kaum ist der alte Pantalone zuverlässig außer Sicht, taucht des Malers nützlicher Freund auf, mit Maske und Mantel wie jedermann in den Straßen und auf den Kanälen Venedigs im Karneval. Es folgen Umarmungen und Händeschütteln und Gelächter aller Beteiligten; es hat ja alles so wunderbar geklappt, kein Verdacht ist aufgekommen. Unter Lady Hurtmores Mantel erscheint das Schmuckkästchen.

Sie öffnet es, und es ertönen laute italienische Ausrufe des Erstaunens und der Bewunderung. Die Brillanten, die Perlen, die großen Hurtmore-Smaragde, die Rubinschnallen, die Diamantohrringe — alle diese leuchtenden, glitzernden Sachen werden liebevoll geprüft und mit Sachkenntnis befühlt. Mindestens fünfzigtausend Zechinen lautet die Schätzung des nützlichen Freundes. Die beiden Liebenden fallen sich ekstatisch in die Arme.

"The useful friend interrupts them; there are still a few last things to be done. They must go and sign for their passports at the Ministry of Police. Oh, a mere formality; but still it has to be done. He will go out at the same time and sell one of the lady's diamonds to provide the necessary funds for the journey."

Mr. Bigger paused to light a cigarette. He blew a cloud of smoke, and went on.

"So they set out, all in their masks and capes, the useful friend in one direction, the painter and his mistress in another. Ah, love in Venice!" Mr. Bigger turned up his eyes in ecstasy. "Have you ever been in Venice and in love, sir?" he inquired of the Lord of the Manor.

"Never farther than Dieppe," said the Lord of the Manor, shaking his head.

"Ah, then you've missed one life's great experiences. You can never fully and completely understand what must have been the sensations of little Lady Hurtmore and the artist as they glided down the long canals, gazing at one another through the eyeholes of their masks. Sometimes, perhaps, they kissed — though it would have been difficult to do that without unmasking, and there was always the danger that some one might have recognized their naked faces through the windows of their little cabin. No, on the whole," Mr. Bigger concluded reflectively, "I expect they confined

Der nützliche Freund unterbricht sie; es sind noch ein paar letzte Angelegenheiten zu erledigen. Sie müssen für ihre Pässe auf der Polizeiverwaltung unterschreiben. Oh, eine bloße Formalität, aber es muß doch geschehen. Er wird während dieser Zeit auch weggehen und einen von den Diamanten der Dame verkaufen, um das nötige Geld für die Reise zu beschaffen.»

Herr Bigger hielt inne, um sich eine Zigarette anzuzünden. Er stieß eine Rauchwolke aus und fuhr fort.

«So zogen sie los, alle in Maske und Überwurf, der nützliche Freund in die eine, der Maler und seine Geliebte in die andere Richtung. Ach, Liebe in Venedig!» Herr Bigger verdrehte seine Augen vor Entzücken. «Waren Sie schon einmal in Venedig und verliebt?» fragte er den Herrn des Landsitzes.

«Ich war nie weiter als Dieppe», sagte der Herr des Landsitzes und schüttelte den Kopf.

«Oh, dann haben Sie eine der großen Erfahrungen des Lebens versäumt und können gar nicht voll und ganz nachempfinden, welche Gefühle die kleine Lady Hurtmore und den Künstler bewegt haben müssen, als sie die Kanäle entlangfuhren und einander durch die Augenlöcher ihrer Masken anblickten. Gelegentlich gaben sie sich vielleicht einen Kuß — obwohl es schwierig gewesen wäre, das ohne Demaskierung zu tun, und dann war ja auch noch die Gefahr, daß jemand ihre enthüllten Gesichter durch die Fenster der kleinen Kabine hätte erkennen können. Nein, eigentlich», schloß Herr Bigger nachdenklich, «nehme ich an, daß die beiden sich darauf beschränkten, einander anzuschauen

themselves to looking at one another. But in Venice drowsing along the canals, one can almost be satisfied with looking — just looking."

He caressed the air with his hand and let his voice droop away into silence. He took two or three puffs at his cigarette without saying anything. When he went on, his voice was very quiet and even.

"About half an hour after they had gone, a gondola drew up at Giangolini's door and a man in a paper mask, wrapped in a black cloak and wearing on his head the inevitable three-cornered hat, got out and went upstairs to the painter's room. It was empty. The portrait smiled sweetly and a little fatuously from the easel. But no painter stood before it and the model's throne was untenanted. The long-nosed mask looked about the room with an expressionless curiosity. The wandering glance came to rest at last on the jewel-case that stood where the lovers had carelessly left it, open on the table. Deep-set and darkly shadowed behind the grotesque mask, the eyes dwelt long and fixedly on this object. Long-nosed Pulcinella seemed to be wrapped in meditation."

"A few minutes later there was the sound of footsteps on the stairs, of two voices laughing together. The masker turned away to look out of the window. Behind him the door opened noisily; drunk with excitement, with gay, laughable irresponsibility, the lovers burst in."

Aber wenn man in Venedig verträumt durch die Kanäle gleitet, kann man fast schon mit Schauen zufrieden sein — mit dem bloßen Schauen.»

Er fuhr liebkosend mit der Hand durch die Luft und ließ seine Stimme langsam zum Schweigen verklingen. Er nahm zwei oder drei Züge aus der Zigarette, ohne etwas zu sagen. Als er fortfuhr, war seine Stimme sehr ruhig und gleichmäßig.

«Ungefähr eine halbe Stunde nach ihrem Weggang fuhr eine Gondel an Giangolinis Tür vor, und ein Mann mit einer Pappmaske, der in einen schwarzen Mantel gehüllt war und auf dem Kopf den unvermeidlichen Dreispitz trug, stieg aus und ging hinauf in das Zimmer des Malers. Es war leer. Das Portrait lächelte lieblich und ein wenig einfältig von der Staffelei. Aber kein Maler stand davor, und der Modellstuhl war unbesetzt. Die langnasige Maske blickte mit ausdrucksloser Neugier im Raum umher. Der schweifende Blick kam schließlich auf dem Schmuckkästchen zum Stillstand, das sich da befand, wo es die Liebenden achtlos gelassen hatten: offen auf dem Tisch. Die Augen, tiefliegend und dunkel beschattet hinter der grotesken Maske, verweilten lange und starr auf diesem Gegenstand. Der langnasige Pulcinella schien in Nachdenken versunken.

Wenige Minuten später erklangen Schritte und zweistimmiges Gelächter auf der Treppe. Die Maske wandte sich ab und blickte aus dem Fenster. Hinter ihr öffnete sich geräuschvoll die Tür, und trunken vor Aufregung, vor lustiger, alberner Leichtsinnigkeit, platzten die Liebenden herein.

"'Aha, *caro amico!* Back already. What luck with the diamond?'"

"The cloaked figure at the window did not stir; Giangolini rattled gaily on. There had been no trouble whatever about the signatures, no questions asked; he had the passports in his pocket. They could start at once."

"Lady Hurtmore suddenly began to laugh uncontrollably; she couldn't stop."

"'What's the matter?' asked Giangolini, laughing too.

"'I was thinking,' she gasped between the paroxysms of her mirth, 'I was thinking of old Pantaloon sitting at the Misericordia, solemn as an owl, listening' — she almost choked, and the words came out shrill and forced as though she were speaking through tears — 'listening to old Galuppi's boring old cantatas.'"

"The man at the window turned round. 'Unfortunately, madam,' he said, 'the learned maestro was indisposed this morning. There was no concert.' He took off his mask. 'And so I took the liberty of returning earlier than usual.' The long, grey, unsmiling face of Lord Hurtmore confronted them."

"The lovers stared at him for a moment speechlessly. Lady Hurtmore put her hand to her heart; it had given a fearful jump, and she felt a horrible sensation in the pit of her stomach. Poor Giango-

‹Haha, caro amico! Schon zurück. Wie ging's mit dem Diamanten?›

Die verhüllte Gestalt am Fenster rührte sich nicht; Giangolini plapperte lustig weiter. Es hatte keinerlei Schwierigkeiten mit den Unterschriften gegeben, es waren keine Fragen gestellt worden, er hatte die Pässe in der Tasche. Sie konnten sofort aufbrechen.

Plötzlich begann Lady Hurtmore unbeherrscht zu lachen; sie konnte nicht aufhören.

‹Was ist denn los?› fragte Giangolini und lachte ebenfalls.

‹Ich dachte›, keuchte sie zwischen den Krämpfen ihrer Fröhlichkeit, ‹ich dachte gerade an den alten Pantalone, der jetzt in der Misericordia sitzt, feierlich wie eine Eule, und wie er› — sie erstickte beinahe, und die Worte kamen schrill und mühsam heraus, als spräche sie unter Tränen — ‹und wie er die langweiligen alten Kantaten vom alten Galuppi anhört.›

Der Mann am Fenster drehte sich um. ‹Bedauerlicherweise, Madame›, sagte er, ‹war der gelehrte Meister heute morgen indisponiert. Das Konzert ist ausgefallen.› Er nahm seine Maske ab.

‹Deshalb war ich so frei, früher als gewöhnlich zurückzukehren.› Das lange, graue, nie lächelnde Gesicht Lord Hurtmores war vor ihnen.

Die Liebenden starrten ihn einen Augenblick lang sprachlos an. Lady Hurtmore legte die Hand auf ihr Herz; es hatte einen schrecklichen Sprung getan, und in der Magengrube hatte sie ein entsetzliches Gefühl. Der arme Gian-

lini had gone as white as his paper mask. Even in these days of *cicisbei*, of official gentlemen friends, there were cases on record of outraged and jealous husbands resorting to homicide. He was unarmed, but goodness only knew what weapons of destruction were concealed under that enigmatic black cloak. But Lord Hurtmore did nothing brutal or undignified. Gravely and calmly, as he did everything, he walked over to the table, picked up the jewel-case, closed it with the greatest care, and saying, 'My box, I think,' put it in his pocket and walked out of the room. The lovers were left looking questioningly at one another."

There was a silence.

"What happened then?" asked the Lord of the Manor.

"The anti-climax," Mr. Bigger replied, shaking his head mournfully. "Giangolini had bargained to elope with fifty thousand sequins. Lady Hurtmore didn't, on reflection, much relish the idea of love in a cottage. Woman's place, she decided at last, is the home — with the family jewels. But would Lord Hurtmore see the matter in precisely the same light? That was the question, the alarming, disquieting question. She decided to go and see for herself."

"She got back just in time for dinner. 'His Illustrissimous Excellency is waiting in the dining-room,' said the major-domo. The tall doors

golini war weiß geworden wie seine Pappmaske. Selbst in jenen Tagen der Cicisbei, der offiziellen Hausfreunde, berichtete man Fälle von beleidigten und eifersüchtigen Ehemännern, die zu Totschlag geführt hatten. Er war unbewaffnet, und der Himmel mochte wissen, welche Mordwaffen unter dem geheimnisvollen schwarzen Mantel verborgen waren. Aber Lord Hurtmore tat nichts Unbesonnenes oder Unwürdiges. Ernst und ruhig, wie er alles tat, ging er zum Tisch, nahm das Schmuckkästchen, schloß es mit größter Sorgfalt, und indem er sagte ‹Das ist wohl mein Kasten› steckte er es in die Tasche und verließ den Raum. Die Liebenden blieben allein und blickten einander fragend an.»

Eine Pause trat ein.

«Und was kam dann?» fragte schließlich der Herr des Landsitzes.

«Die Ernüchterung», entgegnete Herr Bigger, indem er traurig den Kopf schüttelte. «Giangolini hatte darauf gerechnet, mit fünfzigtausend Zechinen durchzugehen. Und Lady Hurtmore fand bei näherer Betrachtung an der Vorstellung von der Liebe in einer Hütte wenig Geschmack. Der Platz der Frau, so entschied sie schließlich, ist daheim — beim Familienschmuck. Aber würde Lord Hurtmore die Angelegenheit im gleichen Lichte sehen? Das war die Frage, die beunruhigende, die verwirrende Frage. Sie beschloß, hinzugehen und sich selbst zu überzeugen.

Sie kam gerade rechtzeitig zum Mittagessen zurück. ‹Seine Durchlauchtigste Exzellenz warten bereits im Speisezimmer›, sagte der Haushofmeister. Die hohen Türen wur-

were flung open before her; she swam in majestically, chin held high — but with what a terror in her soul! Her husband was standing by the fireplace. He advanced to meet her."

"'I was expecting you, madam,' he said, and led her to her place."

"That was the only reference he ever made to the incident. In the afternoon he sent a servant to fetch the portrait from the painter's studio. It formed part of their baggage when, o month later, they set out for England. The story has been passed down with the picture from one generation to the next. I had it from an old friend of the family when I bought the portrait last year."

Mr. Bigger threw his cigarette end into the grate. He flattered himself that he had told that tale very well.

"Very interesting," said the Lord of the Manor, "very interesting indeed. Quite historical, isn't it? One could hardly do better with Nell Gwynn or Anne Boleyn, could one?"

Mr. Bigger smiled vaguely, distantly. He was thinking of Venice — the Russian countess staying in his pension, the tufted tree in the courtyard outside his bedroom, that strong, hot scent she used (it made you catch your breath when you first smelt it), and there was the bathing on the Lido, and the gondola, and the dome of the Salute against the hazy sky, looking just as it looked

den vor ihr aufgerissen; majestätisch rauschte sie hinein, mit hocherhobenem Kinn — aber mit welch einer Furcht im Herzen! Ihr Gatte stand am Kamin. Er ging ihr entgegen.

‹Ich habe Euch erwartet, Madame›, sagte er und führte sie an ihren Platz.

Das war die einzige Anspielung, die er jemals auf den Zwischenfall machte. Am Nachmittag schickte er einen Diener, um das Portrait aus dem Atelier des Malers holen zu lassen. Es war in ihrem Gepäck, als sie einen Monat später nach England abreisten. Die Geschichte ist mit dem Gemälde von einer Generation auf die andere gekommen. Ich hörte sie von einem alten Freund der Familie, als ich das Portrait im vergangenen Jahr kaufte.»

Herr Bigger warf den Zigarettenstummel in den Kaminrost. Er schmeichelte sich, die Geschichte sehr gut vorgetragen zu haben.

«Sehr interessant», sagte der Herr des Landsitzes, «wirklich sehr interessant. Ziemlich historisch, nicht wahr? Mit Nell Gwynn oder Anne Boleyn könnte man wohl kaum besser fahren, oder?»

Herr Bigger lächelte unbestimmt, abwesend. Er dachte an Venedig — an die russische Gräfin in seiner Pension, an den buschigen Baum im Hof vor seinem Schlafzimmer, an das starke, heiße Parfum, das sie benutzte (es ließ einem den Atem stocken, wenn man es zum ersten Mal spürte). Und dann das Baden am Lido, und die Gondel, und die Kuppel von Santa Maria della Salute gegen den dunstigen

when Guardi painted it. How enormously long ago and far away it all seemed now! He was hardly more than a boy then; it had been his first great adventure. He woke up with a start from his reverie.

The Lord of the Manor was speaking. "How much, now, would you want for that picture?" he asked. His tone was detached, off-hand; he was a rare one for bargaining.

"Well," said Mr. Bigger, quitting with reluctance the Russian countess, the paradisiacal Venice of five-and-twenty years ago, "I've asked as much as a thousand for less important works than this. But I don't mind letting this go to you for seven-fifty."

The Lord of the Manor whistled. "Seven-fifty?" he repeated. "It's too much."

"But, my dear sir," Mr. Bigger protested, "think what you'd have to pay for a Rembrandt of this size and quality—twenty thousand at least. Seven hundred and fifty isn't at all too much. On the contrary, it's very little considering the importance of the picture you're getting. You have a good enough judgment to see that this is a very fine work of art."

"Oh, I'm not denying that," said the Lord of the Manor. "All I say is that seven-fifty's a lot of money. Whe-ew! I'm glad my daughter does sketching. Think if I'd had to furnish the bed-

Himmel, genau wie einst, als Guardi sie gemalt hatte. Wie unerhört lang her und weit weg schien das jetzt alles! Er war damals noch fast ein Knabe gewesen; es hatte sein erstes Abenteuer bedeutet. Mit einem Ruck wachte er aus seiner Träumerei auf.

Der Herr des Landsitzes sprach schon weiter. «Wieviel würden Sie denn nun für das Bild verlangen?» fragte er. Seine Stimme klang sachlich und ungezwungen; er war ein ungewöhnlich geschickter Händler.

«Nun», sagte Herr Bigger und verließ widerwillig die russische Gräfin und das paradiesische Venedig von vor fünfundzwanzig Jahren,

«ich habe schon für weniger bedeutende Werke als dieses tausend verlangt. Aber ich wäre bereit, es Ihnen für siebenfünf abzulassen.»

Der Herr des Landsitzes pfiff. «Siebenfünf?» wiederholte er. «Das ist zuviel.»

«Aber, mein lieber Herr», protestierte Herr Bigger, «bedenken Sie, was Sie für einen Rembrandt von dieser Größe und Qualität ausgeben müßten — zwanzigtausend mindestens. Siebenhundertundfünfzig ist durchaus nicht zuviel. Im Gegenteil, es ist wenig, wenn Sie die Bedeutung des Gemäldes bedenken, das Sie bekommen. Ihr Urteil ist gut genug, um Sie erkennen zu lassen, daß es ein besonders schönes Kunstwerk ist.»

«Oh, das bestreite ich nicht», sagte der Herr des Landsitzes. «Ich sage nur, daß siebenfünf eine Menge Geld ist. Auweh, ich bin nur froh, daß meine Tochter ein bißchen zeichnet. Wenn ich mir vorstelle, ich müßte die

rooms with pictures at seven-fifty a time!" He laughed.

Mr. Bigger smiled. "You must also remember," he said, "that you're making a very good investment. Late Venetians are going up. If I had any capital to spare — —" The door opened and Miss Pratt's blonde and frizzy head popped in.

"Mr. Crowley wants to know if he can see you, Mr. Bigger."

Mr. Bigger frowned. "Tell him to wait," he said irritably. He coughed and turned back to the Lord of the Manor. "If I had any capital to spare, I'd put it all into late Venetians. Every penny."

He wondered, as he said the words, how often he had told people that he'd put all his capital, if he had any, into primitive cubism, nigger sculpture, Japanese prints. . . .

In the end the Lord of the Manor wrote him a cheque for six hundred and eighty.

"You might let me have a typewritten copy of the story," he said, as he put on his hat. "It would be a good tale to tell one's guests at dinner, don't you think? I'd like to have the details quite correct."

"Oh, of course, of course," said Mr. Bigger, "the details are most important."

He ushered the little round man to the door. "Good morning. Good morning." He was gone.

A tall, pale youth with side whiskers appeared

Schlafzimmer mit Bildern zu siebenfünf je Stück einrichten!» Er lachte.

Herr Bigger lächelte. «Sie müssen auch bedenken», sagte er, «daß Sie eine gute Investierung machen. Späte Venezianer sind im Steigen. Wenn ich irgendwelches flüssiges Kapital hätte ...» Die Tür ging auf und Fräulein Pratts blonder Lockenkopf tauchte auf.

«Herr Crowley fragt, ob er Sie sprechen kann, Herr Bigger.»

Herr Bigger runzelte die Stirn. «Er soll warten», sagte er gereizt. Er hüstelte und wandte sich wieder dem Herrn des Landsitzes zu: «Wenn ich flüssiges Kapital hätte, würde ich alles in späten Venezianern anlegen. Jeden Penny.»

Während er diese Worte sprach, bedachte er bei sich, wie oft er wohl den Leuten schon gesagt hatte, daß er sein ganzes Kapital, wenn er welches hätte, in frühe Kubisten, Negerskulpturen oder japanische Holzschnitte stecken würde...

Letzten Endes schrieb ihm der Herr des Landsitzes einen Scheck über sechshundertachtzig aus.

«Sie könnten mir eine getippte Abschrift der Geschichte schicken», sagte er, als er den Hut aufsetzte. «Das wäre was Nettes, das man den Gästen bei Tisch erzählen könnte, meinen Sie nicht auch? Ich würde die Einzelheiten gerne ganz genau haben.»

«Oh, selbstverständlich, selbstverständlich», sagte Herr Bigger, «die Einzelheiten sind sehr wichtig.»

Er führte den kleinen rundlichen Mann zur Tür. «Guten Morgen. Guten Morgen.» Weg war er.

Ein großer, bleicher Jüngling mit Koteletten erschien im

in the doorway. His eyes were dark and melancholy; his expression, his general appearance, were romantic and at the same time a little pitiable. It was young Crowley, the painter.

"Sorry to have kept you waiting," said Mr. Bigger. "What did you want to see me for?"

Mr. Crowley looked embarrassed, he hesitated. How he hated having to do this sort of thing! "The fact is," he said at last, "I'm horribly short of money. I wondered if perhaps you wouldn't mind — if it would be convenient to you — to pay me for that thing I did for you the other day. I'm awfully sorry to bother you like this."

"Not at all, my dear fellow." Mr. Bigger felt sorry for this wretched creature who didn't know how to look after himself. Poor young Crowley was as helpless as a baby. "How much did we settle it was to be?"

"Twenty pounds, I think it was," said Mr. Crowley timidly.

Mr. Bigger took out his pocket-book. "We'll make it twenty-five," he said.

"Oh no, really, I couldn't. Thanks very much." Mr. Crowley blushed like a girl. "I suppose you wouldn't like to have a show of some of my landscapes, would you?" he asked, emboldened by Mr. Bigger's air of benevolence.

"No, no. Nothing of your own." Mr. Bigger shook his head inexorably.

Eingang. Seine Augen waren dunkel und melancholisch, sein Gesichtsausdruck und seine ganze Erscheinung romantisch und zugleich ein wenig erbärmlich. Es war der junge Crowley, der Maler.

«Tut mir leid, daß ich Sie warten ließ», sagte Herr Bigger. «Was führt Sie zu mir?»

Herr Crowley schien verwirrt, er zögerte. Wie haßte er es, so etwas tun zu müssen! «Die Sache ist die», sagte er schließlich, «ich bin furchtbar knapp mit Geld. Ich habe gedacht, vielleicht würde es Ihnen nichts ausmachen ... würde es Ihnen recht sein ... mir das Geld für das Ding zu geben, das ich neulich für Sie gemacht habe. Es tut mir schrecklich leid, Sie so zu belästigen.»

«Aber gar nicht, lieber Freund.» Herr Bigger hatte Mitleid mit diesem elenden Geschöpf, das nicht imstande war, für sich selbst zu sorgen. Der arme junge Crowley war hilflos wie ein Kind. «Auf wieviel hatten wir uns denn geeinigt?»

«Zwanzig Pfund waren es, glaube ich», sagte Herr Crowley schüchtern.

Herr Bigger zog sein Notizbuch. «Na, sagen wir fünfundzwanzig», erklärte er.

«Oh nein, wirklich, das kann ich nicht annehmen. Vielen Dank.» Herr Crowley errötete wie ein Mädchen. «Sie wollen nicht zufällig ein paar von meinen Landschaften ansehen?» fragte er, mutig gemacht durch Herrn Biggers wohlwollende Art.

«Nein, nein. Nichts von Ihren eigenen Sachen.» Herr Bigger schüttelte unerbittlich den Kopf.

"There's no money in modern stuff. But I'll take any number of those sham Old Masters of yours." He drummed with his fingers on Lady Hurtmore's sleekly painted shoulder. "Try another Venetian," he added. "This one was a great success."

«In dem modernen Kram steckt kein Geld. Aber ich nehme Ihnen jede Menge von Ihren falschen alten Meistern hier ab.» Er trommelte mit den Fingern auf Lady Hurtmores glatt gemalte Schulter. «Versuchen Sie es noch einmal mit einem Venezianer», setzte er hinzu. «Dieser hier war ein großer Erfolg.»

"You will not find your father greatly changed,"
remarked Lady Moping, as the car turned into the
Country Asylum.

"Will he be wearing a uniform?" asked Angela.

"No, dear, of course not. He is receiving the
very best attention."

It was Angela's first visit and it was being made
at her own suggestion.

Ten years had passed since the showery day in
late summer when Lord Moping had been taken
away; a day of confused but bitter memories for
her; the day of Lady Moping's annual garden
party, always bitter, confused that day by the
caprice of the weather which, remaining clear and
brilliant with promise until the arrival of the first
guests, had suddenly blackened into a squall.
There had been a scuttle for cover; the marquee
had capsized; a frantic carrying of cushions and
chairs; a table-cloth lofted to the boughs of the
monkeypuzzler, fluttering in the rain; a bright
period and the cautious emergence of guests on
to the soggy lawns; another squall; another

Evelyn Waugh: Herrn Lovedays kleiner Ausflug

«Du wirst deinen Vater nicht sehr verändert finden», bemerkte Lady Moping, als das Auto in das Tor zur Bezirks-
irrenanstalt einbog.

«Wird er Anstaltskleidung tragen?» fragte Angela.

«Nein, Liebes, natürlich nicht. Er genießt die allerbeste
Behandlung.»

Es war Angelas erster Besuch, sie selbst hatte ihn vorge-
schlagen.

Zehn Jahre waren seit jenem regnerischen Spätsommer-
tag vergangen, als Lord Moping abtransportiert worden
war; ein Tag wirrer, doch schmerzlicher Erinnerungen für
sie, dieser Tag von Lady Mopings alljährlichem Gartenfest,
schon immer bitter, diesmal durcheinandergebracht durch
die Launenhaftigkeit des Wetters, das bis zum Kommen
der ersten Gäste herrlich klar und vielversprechend geblieben war, sich aber plötzlich zu heftigen Böen verdunkelt
hatte. Man hatte eilig Deckung gesucht; das Zelt war um-
gestürzt; ein kopfloses Wegtragen von Kissen und Stühlen;
ein Tischtuch, hoch in die Zweige der Chiletanne getragen,
flatterte im Regen; eine Weile Aufheiterung, vorsichtig
wagten sich Gäste auf die aufgeweichten Rasenflächen; wiederum ein heftiger Windstoß; und wiederum zwanzig Minu-

twenty minutes of sunshine. It had been an abominable afternoon, culminating at about six o'clock in her father's attempted suicide.

Lord Moping habitually threatened suicide on the occasion of the garden party; that year he had been found black in the face, hanging by his braces in the orangery; some neighbours, who were sheltering there from the rain, set him on his feet again, and before dinner a van had called for him.

Since then Lady Moping had paid seasonal calls at the asylum and returned in time for tea, rather reticent of her experience.

Many of her neighbours were inclined to be critical of Lord Moping's accommodation. He was not, of course, an ordinary inmate. He lived in a separate wing of the asylum, specially devoted to the segregation of wealthier lunatics. These were given every consideration which their foibles permitted. They might choose their own clothes (many indulged in the liveliest fancies), smoke the most expensive brands of cigars and, on the anniversaries of their certification entertain any other inmates for whom they had an attachment to private dinner parties.

The fact remained, however, that it was far from being the most expensive kind of institution; the uncompromising address, 'COUNTY HOME FOR MENTAL DEFECTIVES,' stamped across the note-

ten Sonnenschein. Es war ein abscheulicher Nachmittag gewesen, der gegen sechs Uhr mit dem Selbstmordversuch ihres Vaters seinen Höhepunkt erreichte.

Lord Moping drohte gewohnheitsmäßig anläßlich des Gartenfestes mit Selbstmord; dieses Jahr war er, schwarz im Gesicht, an seinen Hosenträgern hängend in der Orangerie gefunden worden; einige Nachbarn, die dort vorm Regen Schutz gesucht hatten, stellten ihn wieder auf die Beine, und noch vor dem Abendessen hatte ihn ein Krankenwagen abgeholt. Seitdem hatte Lady Moping in der Irrenanstalt regelmäßig Besuche abgestattet, kam rechtzeitig zum Tee wieder nach Hause und schwieg sich über ihr Erlebnis ziemlich aus.

Viele ihrer Nachbarn neigten dazu, sich über Lord Mopings Unterbringung kritisch zu äußern. Natürlich war er kein gewöhnlicher Insasse. Er wohnte in einem abseits gelegenen Flügel der Anstalt, welcher der Absonderung der wohlhabenden Geisteskranken vorbehalten war. Diese genossen jede Rücksicht, die ihr Schwachsinn zuließ. Sie konnten ihre eigene Kleidung wählen (viele frönten den farbenfreudigsten Einfällen), konnten die teuersten Zigarrenmarken rauchen und an den Jahrestagen ihrer Einweisung irgendwelche anderen Insassen, für die sie eine besondere Vorliebe hatten, zu einem privaten Festessen einladen.

Die Tatsache blieb jedoch bestehen, daß es nicht im entferntesten die kostspieligste aller derartigen Anstalten war; die nichts beschönigende Adresse ‹BEZIRKS-PFLEGEHEIM FÜR SCHWACHSINNIGE›, auf das Briefpapier gestempelt, der

paper, worked on the uniforms of their attendants, painted, even, upon a prominent hoarding at the main entrance, suggested the lowest associations. From time to time, with less or more tact, her friends attempted to bring to Lady Moping's notice particulars of seaside nursing homes, of 'qualified practitioners with large private grounds suitable for the charge of nervous or difficult cases', but she accepted them lightly; when her son came of age he might make any changes that he thought fit; meanwhile, she felt no inclination to relax her economical régime; her husband had betrayed her basely on the one day in the year when she looked for loyal support, and was far better off than he deserved.

A few lonely figures in great-coats were shuffling and loping about the park.

"Those are the lower-class lunatics," observed Lady Moping. "There is a very nice little flower garden for people like your father. I sent them some cuttings last year."

They drove past the blank, yellow brick façade to the doctor's private entrance and were received by him in the "visitors' room", set aside for interviews of this kind. The window was protected on the inside by bars and wire netting; there was no fireplace; when Angela nervously attempted to move her chair further from the radiator, she found that it was screwed to the floor.

Dienstkleidung ihrer Wärter aufgenäht, ja sogar auf einen augenfälligen Bretterzaun am Eingang hingemalt, deutete auf niedrigste gesellschaftliche Kreise. Dann und wann versuchten Lady Mopings Freunde mit mehr oder weniger Takt, ihre Aufmerksamkeit auf nähere Einzelheiten über Pflegeheime an der See zu lenken, über «bewährte praktische Ärzte mit ausgedehnten eigenen Grundstücken, geeignet für die Beaufsichtigung Nervenleidender oder schwieriger Fälle», doch sie nahm kaum Notiz davon; wenn ihr Sohn volljährig würde, könnte er alle Veränderungen treffen, die er für angemessen hielt; einstweilen empfand sie keinerlei Neigung, ihre Sparmaßnahmen zu lockern; ihr Mann hatte sie gerade an dem einen Tag des Jahres niederträchtig im Stich gelassen, an dem sie zuverlässigen Beistand brauchte, und er war viel besser dran, als er verdiente.

Ein paar einsame Gestalten in Mänteln trieben sich mit schlürfenden Schritten im Park herum.

«Das sind die Verrückten der niederen Volksklassen», bemerkte Lady Moping. «Für Leute wie deinen Vater ist ein sehr netter kleiner Blumengarten da. Ich habe ihnen voriges Jahr einige Stecklinge geschickt.»

Sie fuhren an der kahlen, gelben Backsteinfassade entlang zum Privateingang des Arztes und wurden von ihm im «Zimmer für Besucher» empfangen, das für Unterredungen dieser Art reserviert war. Das Fenster war auf der Innenseite mit Eisenstangen und Maschendraht gesichert; ein Kamin war nicht vorhanden; als Angela in ihrer Nervosität versuchte, ihren Stuhl vom Heizapparat wegzurücken, entdeckte sie, daß er am Fußboden festgeschraubt war.

"Lord Moping is quite ready to see you," said the doctor.

"How is he?"

"Oh, very well, very well indeed, I'm glad to say. He had rather a nasty cold some time ago, but apart from that his condition is excellent. He spends a lot of his time in writing."

They heard a shuffling, skipping sound approaching along the flagged passage. Outside the door a high peevish voice, which Angela recognized as her father's said: "I haven't the time, I tell you. Let them come back later."

A gentler tone, with a slight rural burr, replied, "Now come along. It is a purely formal audience. You need stay no longer than you like."

Then the door was pushed open (it had no lock or fastening) and Lord Moping came into the room. He was attended by an elderly little man with full white hair and an expression of great kindness.

"That is Mr. Loveday who acts as Lord Moping's attendant."

"Secretary," said Lord Moping. He moved with a jogging gait and shook hands with his wife.

"This is Angela. You remember Angela, don't you?"

"No, I can't say that I do. What does she want?"

"We just came to see you."

"Well, you have come at an exceedingly incon-

«Lord Moping ist durchaus bereit, Sie zu sehen», sagte der Arzt.

«Wie geht es ihm?»

«Oh, sehr gut, in der Tat, sehr gut, freut mich zu sagen. Er hatte vor einiger Zeit eine ziemlich scheußliche Erkältung, doch davon abgesehen ist sein Zustand ausgezeichnet. Er verbringt einen großen Teil seiner Zeit mit Schreiben.»

Sie hörten ein schlürfendes, hüpfendes Geräusch, das auf dem mit Fliesen belegten Gang näher kam. Draußen vor der Tür sagte eine hohe verdrießliche Stimme, die Angela als die ihres Vaters erkannte: «Ich habe keine Zeit, sage ich Ihnen. Sie sollen später wiederkommen.»

Eine sanftere Stimme mit leicht ländlicher Aussprache des r erwiderte: «Nun kommen Sie doch mit. Es handelt sich um eine rein formelle Audienz. Sie brauchen nicht länger zu bleiben, als Sie wollen.»

Dann wurde die Tür aufgedrückt (sie hatte weder Schloß noch Klinke) und Lord Moping trat ins Zimmer. Er wurde von einem ältlichen kleinen Mann mit dichtem weißen Haar und einem Ausdruck großer Güte begleitet.

«Das ist Herr Loveday, der als Lord Mopings Diener fungiert.»

«Sekretär», sagte Lord Moping. Er näherte sich mit schlenderndem Gang und schüttelte seiner Frau die Hand.

«Das ist Angela. Du erinnerst dich doch an Angela, nicht wahr?»

«Nein, das kann ich nicht sagen. Was wünscht sie denn?»

«Wir sind nur eben gekommen, dich zu besuchen.»

«Nun, da seid ihr zu einer äußerst ungelegenen Zeit ge-

venient time. I am very busy. Have you typed out that letter to the Pope yet, Loveday?"

"No, my lord. If you remember, you asked me to look up the figures about the Newfoundland fisheries first?"

"So I did. Well, it is fortunate, as I think the whole letter will have to be redrafted. A great deal of new information has come to light since luncheon. A great deal ... You see, my dear, I am fully occupied." He turned his restless, quizzical eyes upon Angela. "I suppose you have come about the Danube. Well, you must come again later. Tell them it will be all right, quite all right, but I have not had time to give my full attention to it. Tell them that."

"Very well, Papa."

"Anyway," said Lord Moping rather petulantly, "it is a matter of secondary importance. There is the Elbe and the Amazon and the Tigris to be dealt with first, eh, Loveday? ... *Danube* indeed. Nasty little river. I'd only call it a stream myself. Well, can't stop, nice of you to come.

I would do more for you if I could, but you see how I'm fixed. Write to me about it. That's it. *Put it in black and white.*"

And with that he left the room.

"You see," said the doctor, "he is in excellent condition. He is putting on weight, eating and

kommen. Ich bin sehr beschäftigt. Haben Sie schon den Brief an den Papst abgetippt, Loveday?»

«Nein, Milord. Wenn Sie sich erinnern, Sie haben mich doch gebeten, erst die Zahlen der Neufundland-Fischerei nachzusehen.»

«Das ist richtig. Nun, es ist gut so, da wohl der ganze Brief noch einmal aufgesetzt werden muß. Seit dem Mittagessen ist sehr viel Neues in Erfahrung gebracht worden. Sehr viel ... Du siehst, meine Liebe, ich bin vollauf beschäftigt.» Er wandte die unruhigen spöttischen Augen auf Angela. «Vermutlich kommen Sie wegen der Donau. Nun, Sie müssen später wiederkommen. Sagen Sie ihnen, es wird alles in Ordnung gehen, durchaus in Ordnung, doch ich habe nicht die Zeit gehabt, der Sache meine ganze Aufmerksamkeit zu widmen. Sagen Sie ihnen das.»

«Sehr gut, Papa.»

«Wie dem auch sei», sagte Lord Moping einigermaßen mürrisch, «es ist eine Sache von untergeordneter Bedeutung. Erst muß die Elbe und der Amazonas und der Tigris behandelt werden, was Loveday? ... *Donau*, fürwahr. Dreckiger kleiner Fluß. Ich selber würde sie nur einen Bach nennen. Also, ich kann mich nicht aufhalten, nett von Ihnen, daß Sie gekommen sind. Ich würde mehr für Sie tun, wenn ich könnte, aber Sie sehen ja meine Lage. Schreiben Sie mir deswegen. Tun Sie das. *Legen Sie es schwarz auf weiß nieder.*»

Und damit ging er aus dem Zimmer.

«Sie sehen», sagte der Arzt, «er ist in ausgezeichneter Verfassung. Er nimmt zu, ißt und schläft ausgezeichnet.

sleeping excellently. In fact, the whole tone of his system is above reproach."

The door opened and Loveday returned.

"Forgive my coming back, sir, but I was afraid that the young lady might be upset at his Lordship's not knowing her. You mustn't mind him, miss. Next time he'll be very pleased to see you. It's only to-day he's put out on account of being behindhand with his work. You see, sir, all this week I've been helping in the library and I haven't been able to get all his Lordship's reports typed out. And he's got muddled with his card index. That's all it is. He doesn't mean any harm."

"What a nice man," said Angela, when Loveday had gone back to his charge.

"Yes. I don't know what we should do without old Loveday. Everybody loves him, staff and patients alike."

"I remember him well. It's a great comfort to know that you are able to get such good warders," said Lady Moping; "people who don't know, say such foolish things about asylums."

"Oh, but Loveday isn't a warder," said the doctor.

"You don't mean he's cuckoo, too?" said Angela.

The doctor corrected her.

"He is an *inmate*. It is rather an interesting case. He has been here for thirty-five years."

Der ganze Zustand seines Organismus läßt tatsächlich nichts zu wünschen übrig.»

Die Tür ging auf und Loveday kam zurück.

«Entschuldigen Sie, mein Herr, daß ich noch einmal komme, aber ich fürchtete, die junge Dame könnte darüber bestürzt sein, daß Seine Lordschaft sie nicht kennen. Sie dürfen sich nichts daraus machen, Fräulein. Das nächste Mal wird es ihn sehr freuen, Sie zu sehen. Nur gerade heute ist er verärgert, weil er mit seiner Arbeit im Rückstand ist. Sehen Sie, mein Herr, diese ganze Woche habe ich in der Bücherei geholfen und konnte nicht alle Berichte Seiner Lordschaft mit der Maschine abschreiben. Und er hat seine Kartothek durcheinander gebracht. Nur das ist es. Er meint es nicht böse.»

«Was für ein netter Mensch», sagte Angela, nachdem Loveday wieder zu seinem Pflegling gegangen war.

«Ja. Ich weiß nicht, wie wir ohne den alten Loveday fertig würden. Jedermann hat ihn ins Herz geschlossen, Ärzte und Patienten gleichermaßen.»

«Ich erinnere mich seiner sehr genau. Es ist ein großer Trost zu wissen, daß Sie solch gute Wärter bekommen können», sagte Lady Moping. «Leute, die nicht Bescheid wissen, reden solchen Unsinn über Anstalten.»

«Oh, aber Loveday ist kein Wärter», sagte der Arzt.

«Sie meinen doch nicht, er ist auch plem-plem?» fragte Angela.

Der Arzt berichtigte sie.

«Er ist *Insasse.* Es ist ein recht interessanter Fall. Seit fünfunddreißig Jahren ist er schon hier.»

"But I've never seen anyone saner," said Angela.

"He certainly has that air," said the doctor, "and in the last twenty years we have treated him as such. He is the life and soul of the place. Of course he is not one of the private patients, but we allow him to mix freely with them. He plays billiards excellently, does conjuring tricks at the concert, mends their gramophones, valets them, helps them in their crossword puzzles and various — er hobbies. We allow them to give him small tips for services rendered, and he must by now have amassed quite a little fortune. He has a way with even the most troublesome of them. An invaluable man about the place."

"Yes, but why is he here?"

"Well, it is rather sad. When he was a very young man he killed somebody—a young woman quite unknown to him, whom he knocked off her bicycle and then throttled. He gave himself up immediately afterwards and has been here ever since."

"But surely he is perfectly safe now. Why is he not let out?"

"Well, I suppose if it was to anyone's interest, he would be. He has no relatives except a stepsister who lives in Plymouth. She used to visit him at one time, but she hasn't been for years now. He's perfectly happy here and I can assure

«Aber ich habe noch nie einen vernünftigeren Menschen gesehen», sagte Angela.

«Er hat sicherlich das Gebaren», sagte der Arzt, «und während der letzten zwanzig Jahre haben wir ihn als solchen behandelt. Er ist die treibende Kraft des Hauses. Er ist natürlich kein Privatpatient, aber wir gestatten ihm freien Umgang mit ihnen. Er spielt ausgezeichnet Billard, macht Zauberkunststückchen beim Konzert, repariert ihre Grammophone, verrichtet Kammerdienste für sie, hilft ihnen bei ihren Kreuzworträtseln und verschiedenen — hm — Steckenpferden. Wir erlauben ihnen, ihm für geleistete Dienste kleine Trinkgelder zu geben, und er muß nunmehr ein ganz hübsches kleines Vermögen angehäuft haben. Er weiß selbst die störrischsten von ihnen zu behandeln. Ein unschätzbarer Mann im Hause.»

«Ja, doch warum ist er denn hier?»

«Nun, das ist eine ziemlich traurige Geschichte. Als er sehr jung war, tötete er jemanden, eine junge Frau, die ihm gänzlich unbekannt war, er stieß sie von ihrem Fahrrad und erwürgte sie dann. Er stellte sich darauf sogleich der Polizei und ist seitdem die ganze Zeit hier gewesen.»

«Aber er ist jetzt doch sicherlich ganz ungefährlich. Warum wird er nicht entlassen?»

«Nun, vermutlich würde er entlassen, wenn es in jemandes Interesse läge. Er hat keine Verwandten außer einer Stiefschwester in Plymouth. Früher besuchte sie ihn regelmäßig, aber nun schon seit Jahren nicht mehr. Er ist vollkommen glücklich hier und ich kann Ihnen versichern, *wir*

you *we* aren't going to take the first steps in turning him out. He's far too useful to us."

"But it doesn't seem fair," said Angela.

"Look at your father," said the doctor. "He'd be quite lost without Loveday to act as his secretary."

"It doesn't seem fair."

Angela left the asylum, oppressed by a sense of injustice. Her mother was unsympathetic.

"Think of being locked up in a looney bin all one's life."

"He attempted to hang himself in the orangery", replied Lady Moping, "*in front of the Chester-Martins.*"

"I don't mean Papa. I mean Mr. Loveday."

"I don't think I know him."

"Yes, the looney they have put to look after Papa."

"Your father's secretary. A very decent sort of man, I thought, and eminently suited to his work."

Angela left the question for the time, but returned to it again at luncheon on the following day.

"Mums, what does one have to do to get people out of the bin?"

"The bin? Good gracious, child, I hope that you do not anticipate your father's return *here.*"

"No, no. Mr. Loveday."

werden nicht den ersten Schritt tun, ihn hinauszuwerfen. Er ist uns viel zu nützlich.»

«Aber das scheint nicht gerecht», sagte Angela.

«Sehen Sie Ihren Vater an», sagte der Arzt, «er wäre ohne Loveday als Sekretär völlig verloren.»

«Es scheint mir nicht gerecht.»

Angela verließ die Anstalt, bedrückt von einem Gefühl der Ungerechtigkeit. Ihre Mutter nahm keinerlei Anteil.

«Stell dir vor, lebelang in einer Verrücktenzelle eingeschlossen zu sein.»

«Er hat den Versuch gemacht, sich in der Orangerie aufzuhängen», erwiderte Lady Mopin, «*angesichts der Chester-Martins*».

«Ich meine nicht Papa. Ich meine Herrn Loveday.»

«Ich glaube nicht, daß ich ihn kenne.»

«Doch, der Verrückte, den sie Papa zur Aufwartung gegeben haben.»

«Deines Vaters Sekretär. Ein sehr anständiger Mensch, fand ich, und hervorragend geeignet für seine Aufgabe.»

Angela ließ die Frage für den Augenblick auf sich beruhen, kam aber am folgenden Tag beim Mittagessen wieder darauf zu sprechen.

«Mutti, was muß man unternehmen, um Leute aus dem Kasten herauszukriegen?»

«Aus dem Kasten? Du lieber Himmel, Kind, ich hoffe, du erwartest doch nicht, daß dein Vater *hierher* zurückkehrt.»

«Nein, nein. Herr Loveday.»

"Angela, you seem to me to be totally bemused. I see it was a mistake to take you with me on our little visit yesterday."

After luncheon Angela disappeared to the library and was soon immersed in the lunacy laws as represented in the encyclopaedia.

She did not reopen the subject with her mother, but a fortnight later, when there was a question of taking some pheasants over to her father for his eleventh Certification Party she showed an unusual willingness to run over with them. Her mother was occupied with other interests and noticed nothing suspicious.

Angela drove her small car to the asylum and, after delivering the game, asked for Mr. Loveday. He was busy at the time making a crown for one of his companions who expected hourly to be annointed Emperor of Brazil, but he left his work and enjoyed several minutes' conversation with her. They spoke about her father's health and spirits. After a time Angela remarked, "Don't you ever want to get away?"

Mr. Loveday looked at her with his gentle, blue-grey eyes. "I've got very well used to the life, miss. I'm fond of the poor people here, and I think that several of them are quite fond of me. At least, I think they would miss me if I were to go."

"But don't you ever think of being free again?"

«Angela, du scheinst mir völlig benommen zu sein. Ich sehe, es war ein Fehler, daß ich dich gestern zu dem kleinen Besuch mitnahm.»

Nach dem Mittagessen verschwand Angela in der Bibliothek und war bald in die Gesetze über Geistesgestörte vertieft, wie sie im Konversationslexikon dargelegt sind.

Mit ihrer Mutter brachte sie das Gespräch nicht wieder darauf, doch zwei Wochen später, als es sich darum handelte, ihrem Vater einige Fasane zu einer Party gelegentlich des elften Jahrestages seiner Einweisung zu bringen, zeigte sie sich ungewöhnlich willens, damit hinzugehen. Ihre Mutter war mit anderen Interessen beschäftigt und merkte nichts Verdächtiges.

Angela fuhr in ihrem kleinen Wagen zur Anstalt und fragte, nachdem sie das Wildbret abgeliefert hatte, nach Herrn Loveday. Er war gerade damit beschäftigt, eine Krone für einen seiner Gefährten zu verfertigen, der stündlich erwartete, zum Kaiser von Brasilien gesalbt zu werden, doch er verließ seine Arbeit und unterhielt sich gern ein paar Minuten mit ihr. Sie sprachen über den Gesundheits- und Gemütszustand ihres Vaters. Nach einiger Zeit fragte Angela: «Wollen Sie denn niemals hier herauskommen?»

Herr Loveday sah sie mit seinen sanften blaugrauen Augen an. «Ich habe mich sehr gut an dies Leben gewöhnt, Fräulein. Ich habe die armen Menschen hier sehr gern, und ich glaube, einige von ihnen haben mich ganz gern. Wenigstens glaube ich, sie würden mich vermissen, wenn ich fortginge.»

«Aber denken Sie nie daran, wieder frei zu sein?»

"Oh yes, miss, I think of it — almost all the time I think of it."

"What would you do if you got out? There must be *something* you would sooner do than stay here."

The old man fidgeted uneasily. "Well, miss, it sounds ungrateful, but I can't deny I should welcome a little outing, once, before I get too old to enjoy it. I expect we all have our secret ambitions, and there *is* one thing I often wish I could do. You mustn't ask me what... It wouldn't take long. But I do feel that if I had done it, just for a day, an afternoon even, then I would die quiet. I could settle down again easier, and devote myself to the poor crazed people here with a better heart. Yes, I do feel that."

There were tears in Angela's eyes that afternoon as she drove away. "He *shall* have his little outing, bless him," she said.

From that day onwards for many weeks Angela had a new purpose in life. She moved about the ordinary routine of her home with an abstracted air and an unfamiliar, reserved courtesy which greatly disconcerted Lady Moping.

"I believe the child's in love. I only pray that it isn't that uncouth Egbertson boy."

She read a great deal in the library, she cross-examined any guests who had pretensions to legal

«Oh doch, Fräulein, ich denke wohl daran — fast die ganze Zeit denke ich daran.»

«Was würden Sie tun, wenn Sie herauskämen? Es muß doch *etwas* geben, das Sie lieber täten, als hier zu bleiben.»

Der alte Mann fuchtelte verlegen. «Nun, Fräulein, es klingt undankbar, doch ich kann nicht leugnen, ein kleiner Ausflug wäre mir willkommen, und zwar ehe ich zu alt bin, ihn auszukosten. Wir haben ja wohl alle unseren heimlichen kleinen Ehrgeiz, und *eine* Sache gibt es, von der ich oft wünsche, ich könnte sie tun. Sie dürfen mich nicht fragen, was... Es würde nicht viel Zeit in Anspruch nehmen. Doch ich spüre, wenn ich es getan hätte, nur für einen Tag, selbst nur für einen Nachmittag, dann würde ich ruhig sterben. Ich könnte dann wieder beruhigter sein und mich diesen armen geisteszerrütteten Menschen hier mit einem aufgeschlosseneren Herzen widmen. Jawohl, das spüre ich.»

Tränen waren an diesem Nachmittag in Angelas Augen, als sie wegfuhr. «Er *soll* seinen kleinen Ausflug haben, mit Gottes Hilfe», sagte sie.

Von diesem Tage an hatte Angela viele Wochen lang ein neues Lebensziel. Sie erledigte die täglichen Pflichten in ihrem Haus mit geistesabwesender Miene und einer ungewöhnlich verschlossenen Höflichkeit, die Lady Moping sehr beunruhigte.

«Ich glaube, das Kind ist verliebt. Ich bete nur, es ist nicht dieser Tölpel, der Junge von Egbertsons.»

Sie las sehr viel in der Bibliothek, sie stellte Kreuzverhöre an mit irgendwelchen Gästen, die vorgaben, juristi-

or medical knowledge, she showed extreme good-will to old Sir Roderick Lane-Foscote, their Member. The names "alienist," "barrister" or "government official" now had for her the glamour that formerly surrounded film actors and professional wrestlers. She was a woman with a cause, and before the end of the hunting season she had triumphed. Mr. Loveday achieved his liberty.

The doctor at the asylum showed reluctance but no real opposition. Sir Roderick wrote to the Home Office. The necessary papers were signed, and at last the day came when Mr. Loveday took leave of the home where he had spent such long and useful years.

His departure was marked by some ceremony. Angela and Sir Roderick Lane-Foscote sat with the doctors on the stage of the gymnasium. Below them were assembled everyone in the institution who was thought to be stable enough to endure the excitement.

Lord Moping, with a few suitable expressions of regret, presented Mr. Loveday on behalf of the wealthier lunatics with a gold cigarette case; those who supposed themselves to be emperors showered him with decorations and titles of honour. The warders gave him a silver watch and many of the nonpaying inmates were in tears on the day of the presentation.

The doctor made the main speech of the after-

sche oder medizinische Kenntnisse zu besitzen, sie zeigte sich dem alten Sir Roderick Lane-Foscote, ihrem Parlamentsabgeordneten, außerordentlich gewogen. Die Worte ‹Nervenspezialist›, ‹Anwalt› oder ‹Regierungsbeamter› hatten für sie jetzt die Aureole, die vorher Filmschauspieler und Berufsringkämpfer umgab. Sie war eine Frau mit einem Anliegen, und noch ehe die Jagdsaison vorüber war, hatte sie ihren Sieg errungen. Herr Loveday hatte seine Freiheit bekommen.

Der Anstaltsarzt hatte wohl Zögern, doch keinen wirklichen Widerstand gezeigt. Sir Roderick schrieb an das Innenministerium. Die nötigen Papiere wurden unterzeichnet, und endlich kam der Tag, an dem Herr Loveday das Heim verließ, in dem er so viele nutzbringende Jahre verbracht hatte.

Sein Abschied war durch eine kleine Feier ausgezeichnet. Angela und Sir Roderick Lane-Foscote nahmen mit den Ärzten auf der Bühne der Turnhalle Platz. Unterhalb von ihnen waren alle Insassen der Anstalt versammelt, die man für genügend standhaft erachtete, die Aufregung durchzuhalten.

Lord Moping überreichte Herrn Loveday mit ein paar passenden Worten des Bedauerns im Namen der wohlhabenderen Geistesgestörten ein goldenes Zigarettenetui; diejenigen, die sich Kaiser wähnten, überschütteten ihn mit Auszeichnungen und Ehrentiteln. Die Wärter gaben ihm eine silberne Taschenuhr und viele der nichtzahlenden Insassen vergossen Tränen am Tag der Überreichung.

Der Arzt hielt die Hauptansprache des Nachmittags.

noon. "Remember," he remarked, "that you leave behind you nothing but our warmest good wishes. You are bound to us by ties that none will forget. Time will only deepen our sense of debt to you. If at any time in the future you should grow tired of your life in the world, there will always be a welcome for you here. Your post will be open."

A dozen or so variously afflicted lunatics hopped and skipped after him down the drive until the iron gates opened and Mr. Loveday stepped into his freedom. His small trunk had already gone to the station; he elected to walk. He had been reticent about his plans, but he was well provided with money, and the general impression was that he would go to London and enjoy himself a little before visiting his step-sister.

It was to the surprise of all that he returned within two hours of his liberation. He was smiling whimsically, a gentle, selfregarding smile of reminiscence.

"I have come back," he informed the doctor. "I think that now I shall be here for good."

"But, Loveday, what a short holiday. I'm afraid that you have hardly enjoyed yourself at all."

"Oh yes, sir, thank you, sir, I've enjoyed myself *very much*. I'd been promising myself one little treat all these years. It was short, sir, but *most* enjoyable. Now I shall be able to settle down again to my work here without any regrets."

«Denken Sie daran», sagte er, «daß Sie nur unsere wärmsten Wünsche hier zurücklassen. Sie sind mit uns durch Bande verknüpft, die niemand vergessen wird. Die Zeit wird unser Bewußtsein dessen, was wir Ihnen verdanken, nur vertiefen. Wenn Sie in Zukunft des Lebens in der Welt draußen jemals überdrüssig werden, hier werden Sie stets willkommen sein. Ihr Platz bleibt Ihnen erhalten.»

Etwa ein Dutzend Verrückter verschiedenen Grades hüpfte und sprang ihm auf dem Fahrweg nach, bis sich die eisernen Tore öffneten und Herr Loveday in die Freiheit hinaustrat. Sein Handkoffer war bereits zur Bahnstation geschickt worden; er zog vor, zu Fuß zu gehen. Über seine Pläne hatte er sich ausgeschwiegen, doch er war mit Geld gut versorgt, und es bestand der allgemeine Eindruck, daß er nach London fahren und sich ein wenig amüsieren würde, bevor er seine Stiefschwester besuchte.

Zur Überraschung aller jedoch kam er innerhalb von zwei Stunden nach seiner Entlassung zurück. Er zeigte ein wunderliches Lächeln, ein sanftes, selbstbewußtes Lächeln der Erinnerung.

«Ich bin zurückgekommen», unterrichtete er den Arzt. «Ich denke, ich werde jetzt für immer hier bleiben.»

«Aber Loveday, welch kurzer Urlaub. Ich fürchte, Sie haben sich überhaupt nicht amüsiert.»

«Oh doch, mein Herr, danke, ich habe mich *sehr gut* amüsiert. Ich hatte mir all diese Jahre einen einzigen kleinen Hochgenuß versprochen. Er dauerte nur kurz, mein Herr, war aber höchst genußreich. Jetzt kann ich mich ohne Bedauern hier wieder zu meiner Arbeit niederlassen.»

Half a mile up the road from the asylum gates, they later discovered an abandoned bicycle. It was a lady's machine of some antiquity. Quite near it in the ditch lay the strangled body of a young woman, who, riding home to her tea, had chanced to overtake Mr. Loveday, as he strode along, musing on his opporturnities.

Nicht einen Kilometer von dem Anstaltstor entfernt entdeckte man später ein abgestelltes Fahrrad. Es war ein ziemlich altes Damenrad. Dicht dabei im Graben lag die Leiche einer erwürgten jungen Frau, die, als sie zum Tee nach Hause radelte, zufällig Herrn Loveday überholte, wie er, über seine neuen Möglichkeiten nachsinnend, dahinschritt.

A message came from the rescue party who straightened up and leaned on their spades in the rubble. The policeman said to the crowd: "Everyone keep quiet for five minutes. No talking, please. They're trying to hear where he is."

The silent crowd raised their faces and looked across the ropes to the church which, now it was destroyed, broke the line of the street like a decayed tooth. The bomb had brought down the front wall and the roof, the balcony had capsized. Freakishly untouched, the hymnboard still announced the previous Sunday's hymns.

A small wind blew a smell of smouldering cloth across people's noses from another street where there was another scene like this. A bus roared by and heads turned in passive anger until the sound of the engine had gone. People blinked as a pigeon flew from a roof and crossed the building like an omen of release. There was dead quietness again. Presently a murmuring sound was heard by the rescue party. The man buried under the debris was singing again.

V. S. Pritchett: Die Stimme

Von den Männern des Rettungstrupps, die sich aufrichteten und sich mit ihren Spaten auf die Trümmer stützten, kam eine Meldung. Der Polizist sagte zu der Menge: «Alle mal still sein für fünf Minuten. Bitte nicht sprechen. Sie versuchen jetzt zu hören, wo er ist.»

Die schweigende Menge hob die Köpfe und blickte durch die Seile auf die Kirche, die jetzt, da sie zerstört war, die Straßenflucht unterbrach wie ein verrotteter Zahn. Die Bombe hatte die Stirnwand und das Dach niedergerissen, die Empore lag gekentert da. Die Nummerntafel, wie aus einer Laune unberührt geblieben, nannte noch die Lieder vom vergangenen Sonntag.

Mit einem schwachen Wind kam aus einer anderen Straße, wo sich eine ähnliche Szene abspielte, der Geruch von schwelenden Kleidern den Leuten in die Nase. Ein Omnibus dröhnte vorbei, und die Köpfe wandten sich in müdem Zorn, bis das Geräusch des Motors verklungen war. Die Leute zuckten mit den Wimpern, als eine Taube vom Dach weg durch das Gebäude flog wie ein Vorzeichen der Erlösung. Dann herrschte wieder Totenstille. Jetzt hörte der Rettungstrupp ein dumpfes, leises Geräusch. Der Mann, der da unter den Trümmern verschüttet war, sang wieder.

At first difficult to hear, soon a tune became definite. Two of the rescuers took up their shovels and shouted down to encourage the buried man, and the voice became stronger and louder.

Words became clear. The leader of the rescue party held back the others and those who were near strained to hear. Then the words were unmistakable:

Oh Thou whose Voice the waters heard,

And hushed their raging at Thy Word.

The buried man was singing a hymn.

A clergyman was standing with the warden in the middle of the ruined church.

"That's Mr. Morgan all right," the warden said. "He could sing. He got silver medals for it."

The Rev. Frank Lewis frowned.

"Gold, I shouldn't wonder," said Mr. Lewis, dryly. Now he knew Morgan was alive he said: "What the devil's he doing in there? How did he get in? I locked up at eight o'clock last night myself."

Lewis was a wiry, middle-aged man, but the white dust on his hair and his eyelashes, and the way he kept licking the dust off his dry lips, moving his jaws all the time, gave him the monkeyish, testy and suspicious air of an old man. He had been up all night on rescue work in the raid and he was tired out. The last straw was to find

Zunächst nur schwer zu hören, war bald eine Melodie deutlich zu erkennen. Zwei von den Rettungsmännern nahmen ihre Schaufeln. Sie schrien hinunter, um dem Verschütteten Mut zu machen, und die Stimme wurde fester und lauter. Man konnte schon einzelne Worte verstehen. Der Führer des Rettungstrupps hielt die anderen Männer zurück, während die in der Nähe Stehenden gespannt hinhörten. Die Worte waren nun unverkennbar:

Du, dessen Stimme die Wasser vernahmen,
Dein heiliges Wort ließ ihr Toben erlahmen.

Der Verschüttete sang einen Choral.

Ein Geistlicher stand mit dem Kirchenvorsteher mitten in der zerstörten Kirche.

«Das ist bestimmt Herr Morgan», sagte der Vorsteher. «Der konnte singen. Er hat Silbermedaillen dafür gekriegt.»

Pastor Frank Lewis runzelte die Stirn.

«Von mir aus auch goldene», sagte Herr Lewis trocken. Jetzt, da er wußte, daß Morgan lebte, meinte er: «Was zum Teufel hatte er hier zu suchen? Wie ist er hereingekommen? Ich habe doch selbst gestern abend um acht Uhr abgeschlossen.»

Lewis war ein drahtiger Mann von mittlerem Alter, aber der weiße Staub auf seinem Haar und seinen Wimpern und die Art, wie er immer wieder diesen Staub von den trockenen Lippen leckte, wobei seine Kiefer ständig in Bewegung waren, gaben ihm das affengleiche, mürrische, mißtrauische Aussehen eines alten Mannes. Er hatte die ganze Nacht während der Luftangriffe draußen bei den Rettungsarbeiten verbracht und war übermüdet. Das Maß war voll geworden,

the church had gone and that Morgan, the so-called Rev. Morgan, was buried under it.

The rescue workers were digging again. There was a wide hole now and a man was down in it filling a basket with his hands. The dust rose like smoke from the hole as he worked.

The voice had not stopped singing. It went on, rich, virile, masculine, from verse to verse of the hymn. Shooting up like a stem through the rubbish the voice seemed to rise and branch out powerfully, luxuriantly and even theatrically, like a tree, until everything was in its shade. It was a shade that came towards one like dark arms.

"All the Welsh can sing," the warden said. Then he remembered that Lewis was Welsh also. "Not that I've got anything against the Welsh," the warden said.

"The scandal of it," Lewis was thinking. "Must he sing so loud, must he advertise himself? I locked up myself last night. How the devil did he get in?" And he really meant: "How did the devil get in?"

To Lewis, Morgan was the nearest human thing to the devil. He could never pass that purple-gowned figure, sauntering like a cardinal in his skull cap on the sunny side of the street, without a shudder of distaste and derision. An unfrocked priest, his predecessor in the church, Morgan ought in strict justice to have been in prison, and would

als er festgestellt hatte, daß die Kirche zerstört und Morgan, der sogenannte Pastor Morgan, in ihr verschüttet war.

Die Rettungsmänner gruben wieder. Jetzt war schon ein großes Loch da, und ein Mann war hineingekrochen, um mit den Händen einen Korb zu füllen. Während er arbeitete, stieg der Staub wie Rauch aus dem Loch.

Die Stimme hatte nicht aufgehört. Sie sang voll, kräftig und männlich eine Strophe des Liedes nach der anderen. Wie ein Stamm schien die Stimme rasch durch den Schutt heraufzuwachsen und sich kraftvoll, üppig und geradezu theatralisch zu verzweigen wie ein Baum, bis alles in ihrem Schatten stand. Ein Schatten war das, der wie dunkle Äste nach einem zu greifen schien.

«Die Waliser können alle singen», sagte der Kirchenvorsteher. Dann fiel ihm ein, daß Lewis auch aus Wales war. «Nicht daß ich etwas gegen die Waliser hätte», sagte der Kirchenvorsteher.

«Wirklich skandalös», dachte Lewis. «Muß er denn so laut singen, muß er sich so herausstellen? Ich habe doch selbst gestern abend abgeschlossen. Wie zum Teufel ist er hereingekommen?» In Wirklichkeit meinte er: «Wie ist der Teufel hereingekommen?»

Für Lewis war Morgan das menschliche Wesen, das gleich nach dem Teufel kam. Er konnte niemals ohne einen Schauder von Widerwillen und Hohn an dieser purpurgewandeten Gestalt vorbeigehen, die wie ein Kardinal mit dem Käppchen auf der Sonnenseite der Straße schlenderte. Als abtrünniger Priester hätte Morgan, sein Vorgänger im Pfarramt, von Rechts wegen ins Gefängnis gehört, und ohne

have been but for the indulgence of the bishop. But this did not prevent the old man with the saintly white head and the eyes half-closed by the worldly juices of food and wine, from walking about dressed in his vestments, like an actor walking in the sun of his own vanity, a hook-nosed satyr, a he-goat significant to servant girls, the crony of the public-house, the chaser of book-makers, the smoker of cigars. It was terrible, but it was just that the bomb had buried him; only the malice of the Evil One would have thought of bringing the punishment of the sinner upon the church as well. And now, from the ruins, the voice of the wicked man rose up in all the elaborate pride of art and evil.

Suddenly there was a moan from the sloping timber, slates began to skate down.

"Get out. It's going," shouted the warden.

The man who was digging struggled out of the hole as it bulged under the landslide. There was a dull crumble, the crashing and splitting of wood and then the sound of brick tearing down below the water. Thick dust clouded over and choked them all. The rubble rocked like a cakewalk. Everyone rushed back and looked behind at the wreckage as if it were still alive. It remained still. They all stood there, frightened and suspicious. Presently one of the men with the shovel said: "The bloke's shut up."

die Nachsicht des Bischofs wäre er auch darin. Aber das hinderte den Alten mit dem heiligmäßig weißen Haupt und den von den weltlichen Säften des guten Essens und des Weins halbgeschlossenen Augen nicht, wie ein Schauspieler im Glanze seiner eigenen Eitelkeit in Amtstracht herumzulaufen, dieser hakennäsige Satyr, dieser bei allen Kellnerinnen berüchtigte Bock,

dieser Hansdampf in allen Kneipen, dieser zigarrenqualmende Zutreiber der Buchmacher. Es war furchtbar, aber gerecht, daß die Bombe ihn begraben hatte, während nur die Arglist des Bösen das Strafgericht über den Sünder auch über die Kirche gebracht haben konnte. Und nun kam aus den Trümmern die Stimme dieses gottlosen Menschen mit dem vollendeten Hochmut der Kunst und der Bosheit.

Plötzlich kam ein Ächzen von den sich senkenden Balken, und Dachschiefer rutschten herunter.

«Raus da! Es stürzt ein!» schrie der Kirchenvorsteher.

Der Mann, der da unten grub, zog sich gerade noch aus dem Loch, bevor es von dem Erdrutsch eingedrückt wurde. Ein stumpfes Bröckeln, das Brechen und Splittern von Holz ertönte, und dann ein Geräusch wie von Ziegeln, die im Wasser versinken. Dicker Staub wirbelte auf und erstickte sie fast. Die Trümmer wackelten wie Neger beim Tanz. Jeder stürzte zurück und blickte auf den Schutthaufen, als sei er lebendig. Aber es blieb still. Furchtsam und mißtrauisch standen sie alle da. Und einer von den Männern mit der Schaufel erklärte jetzt: «Nun sagt der Kerl nichts mehr.»

Everyone stared stupidly. It was true. The man had stopped singing. The clergyman was the first to move. Gingerly he went to what was left of the hole and got down on his knees.

"Morgan!" he said, in a low voice.

Then he called out more loudly:

"Morgan!"

Getting no reply, Lewis began to scramble the rubble away with his hands.

"Morgan!" he shouted. "Can you hear?" He snatched a shovel from one of the men and began digging and shovelling the stuff away. He had stopped chewing and muttering. His expression had entirely changed. "Morgan!" he called. He dug for two feet and no one stopped him. They looked with bewilderment at the sudden frenzy of the small man grubbing like a monkey, spitting out the dust, filing down his nails. They saw the spade at last shoot through the old hole. He was down the hole widening it at once, letting himself down as he worked. He disappeared under a ledge made by the fallen timber.

The party above could do nothing. "Morgan," they heard him call. "It's Lewis. We're coming. Can you hear?" He shouted for an axe and presently they heard him smashing with it. He was scratching like a dog or a rabbit.

A voice like that to have stopped, to have gone! Lewis was thinking. How unbearable this silence

Sie starrten mit dummen Gesichtern vor sich hin. Es stimmte. Der Mann hatte aufgehört zu singen. Der Geistliche regte sich als erster. Vorsichtig ging er zu den Überresten des Loches und ließ sich auf die Knie fallen.

«Morgan», sagte er leise.

Dann rief er lauter:

«Morgan!»

Da er keine Antwort bekam, fing Lewis an, den Schutt mit den Händen beiseite zu scharren.

«Morgan», schrie er, «hören Sie mich?» Er griff nach der Schaufel von einem der Männer und begann zu graben und den Dreck wegzuschaufeln. Er kaute und murrte nicht mehr. Sein Gesichtsausdruck hatte sich völlig gewandelt. «Morgan!» rief er. Er grub zwei Fuß tief, ohne daß ihn jemand gehindert hätte. Verwirrt blickten sie auf die plötzliche Raserei des kleinen Mannes, der mit affenartiger Geschicklichkeit grub, Steinstaub spuckte und sich die Fingernägel abscheuerte. Schließlich sahen sie den Spaten durch das alte Loch rutschen. Er ging gleich hinein in das Loch, um es zu erweitern, und ließ sich beim Arbeiten immer weiter hinunter. Schließlich verschwand er unter einem Vorsprung, den das herabgestürzte Gebälk bildete.

Die Leute oben konnten nichts tun. «Morgan!», hörten sie ihn rufen, «ich bin's, Lewis, wir kommen. Hören Sie mich?» Er rief nach einer Axt, und gleich darauf hörten sie ihn damit zuschlagen. Er scharrte wie ein Hund oder ein Kaninchen.

«Daß eine solche Stimme aufgehört hat zu singen, hinüber ist!» dachte Lewis. Wie unerträglich war diese Stille.

was. A beautiful proud voice, the voice of a man, a voice like a tree, the soul of a man spreading in the air like the cedars of Lebanon. "Only one man I have heard with a bass like that. Owen the Bank, at Newton before the war." "Morgan!" he shouted. "Sing! God will forgive you everything, only sing!"

One of the rescue party following behind the clergyman in the tunnel shouted back to his mates.

"I can't do nothing. This bleeder's blocking the gangway."

Half an hour Lewis worked in the tunnel. Then an extraordinary thing happened to him. The tunnel grew damp and its floor went as soft as clay to the touch. Suddenly his knees went through. There was a gap with a yard of cloth, the vestry curtain or the carpet at the communion rail was unwound and hanging through it. Lewis found himself looking down into the blackness of the crypt. He lay down and put his head and shoulders through the hole and felt about him until he found something solid again. The beams of the floor were tilted down into the crypt.

"Morgan. Are you there, man?" he called.

He listened to the echo of his voice. He was reminded of the time he had talked into a cistern when he was a boy. Then his heart jumped. A voice answered him out of the darkness from

Eine schöne stolze Stimme, die Stimme eines Mannes, eine Stimme wie ein Baum, die Seele eines Menschen, die sich breit in die Lüfte schwang wie die Zedern des Libanon. «Nur bei einem Mann habe ich einen solchen Baß gehört. Bei Owen the Bank, vor dem Krieg, in Newton.» «Morgan!», rief er, «singen Sie! Gott wird Ihnen alles vergeben, singen Sie doch bloß!»

Einer von dem Rettungstrupp, der dem Geistlichen in den unterirdischen Gang gefolgt war, rief seinen Leuten zurück:

«Ich kann nichts machen. Der alte Trottel versperrt den Weg!»

Eine halbe Stunde lang arbeitete Lewis im Gang. Dann erlebte er etwas Außerordentliches. Der Gang wurde feucht, und der Boden fühlte sich weich an wie Lehm. Plötzlich stießen seine Knie durch. Ein Spalt war da, verhüllt mit einem Meter Stoff. Der Vorhang von der Sakristei oder der Teppich vor den Altarschranken hatte sich entrollt und hing durch den Spalt.

Lewis merkte, daß er in die finstere Krypta hinuntersah. Er legte sich hin, zwängte Kopf und Schultern durch das Loch und tastete herum, bis er wieder etwas Festes fühlte. Die Fußbodenbalken waren in die Krypta gekippt.

«Morgan! Sind Sie da unten?» rief er.

Er horchte auf das Echo seiner Stimme. Es erinnerte ihn an die Zeit, da er als Junge in einen Brunnen hineingerufen hatte. Dann tat sein Herz einen Sprung. Eine Stimme gab ihm Antwort aus dem Dunkel unter dem abgestürz-

under the fallen floor. It was like the voice of a man lying comfortably and waking up from a snooze, a voice thick and sleepy.

"Who's that?" asked the voice.

"Morgan, man. It's Lewis. Are you hurt?" Tears pricked the dust in Lewis's eyes and his throat ached with anxiety as he spoke. Forgiveness and love were flowing out of him. From below the deep thick voice of Morgan came back.

"You've been a hell of a long time," it said. "I've damn near finished my whisky."

"Hell" was the word which changed Mr. Lewis's mind. Hell was a real thing, a real place for him. He believed in it. When he read out the word "Hell" in the Scriptures he could see the flames rising as they rise out of the furnaces at Swansea. "Hell" was a professional and poetic word for Mr. Lewis. A man who had been turned out of the church had no right to use it. Strong language and strong drink, Mr. Lewis hated both of them. The idea of whisky being in his church made his soul rise like an angered stomach. There was Morgan, insolent and comfortable, lying (so he said) under the old altar-table, which was propping up the fallen floor, drinking a bottle of whisky.

"How did you get in?" Lewis said, sharply, from the hole. "Were you in the church last night when I locked up?"

ten Fußboden. Sie klang wie die Stimme eines bequem liegenden Mannes, der von einem Nickerchen aufwacht; eine dumpfe, schläfrige Stimme.

«Wer ist da?» fragte die Stimme.

«Morgan, Menschenskind! Ich bin's, Lewis. Sind Sie verletzt?» Tränen brannten in Lewis' verstaubten Augen, und seine Kehle schmerzte vor ängstlicher Beklemmung, während er sprach. Er floß über vor Vergebung und Liebe. Von unten antwortete Morgans tiefe, dumpfe Stimme:

«Sie haben aber höllisch lange gebraucht», sagte die Stimme. «Mein Whisky ist schon verdammt am Allewerden.»

«Höllisch» — dieses Wort brachte für Herrn Lewis die Sinnesänderung. Die Hölle war für ihn eine ganz reale Sache, ein realer Ort. Er glaubte an sie. Wenn er das Wort «Hölle» aus der Schrift vorlas, sah er die Flammen vor sich aufsteigen, so wie sie aus den Hochöfen von Swansea aufstiegen. «Hölle» war für Herrn Lewis ein Fachausdruck und zugleich ein poetisches Wort. Ein von der Kirche ausgestoßener Mann hatte nicht das Recht, es zu benutzen. Herr Lewis verabscheute beides, starke Worte und starke Getränke. Der Gedanke an Whisky in seiner Kirche drehte ihm die Seele im Leibe um wie einen verdorbenen Magen. Dieser Morgan lag also (so sagte er) dreist und bequem unter dem ehrwürdigen Altartisch, der den niedergebrochenen Fußboden zurückhielt, und trank eine Flasche Whisky.

«Wie sind Sie hereingekommen?» fragte Lewis in scharfem Ton durch das Loch. «Waren Sie gestern abend in der Kirche, als ich abschloß?»

The old man sounded not as bold as he had been. He even sounded shifty when he replied, "I've got my key."

"*Your* key. I have the only key of the church. Where did you get a key?"

"My old key. I always had a key."

The man in the tunnel behind the clergyman crawled back up the tunnel to the daylight.

"O. K." the man said. "He's got him. They're having a ruddy row."

"Reminds me of ferreting. I used to go ferreting with my old dad," said the policeman.

"You should have given that key up," said Mr. Lewis. "Have you been in here before?"

"Yes, but I shan't come here again," said the old man.

There was the dribble of powdered rubble, pouring down like sand in an hour-glass, the ticking of the strained timber like the loud ticking of a clock.

Mr. Lewis felt that at last after years he was face to face with the devil and the devil was trapped and caught. The tick-tock of the wood went on.

"Men have been risking their lives, working and digging for hours because of this," said Lewis. "I've ruined a suit of . . ."

The tick-tock had grown louder in the middle of the words. There was a sudden lurching and

Die Stimme des alten Mannes klang weniger unverfroren als vorher. Sie klang eher ausweichend: «Ich habe doch meinen Schlüssel.»

«*Ihren* Schlüssel? Ich habe den einzigen Schlüssel zur Kirche. Woher haben Sie einen Schlüssel?»

«Mein alter Schlüssel. Ich habe immer einen gehabt.»

Der Mann im Gang hinter dem Geistlichen kroch durch den Gang zurück ans Tageslicht.

«Alles in Butter», sagte der Mann, «er hat ihn erwischt. Sie haben sich verflucht in den Haaren.»

«Kommt mir vor wie Frettieren. Ich bin früher mit meinem Alten zum Jagen mit Frettchen gegangen», sagte der Polizist.

«Sie hätten den Schlüssel abliefern müssen», sagte Herr Lewis. «Waren Sie schon früher hier?»

«Ja, aber ich werde nicht wieder herkommen», sagte der alte Mann.

Man hörte pulverfeinen Schutt herunterrieseln, wie rinnenden Sand in einem Stundenglas, dazu das Knacken der überlasteten Balken wie das laute Ticken eines Uhrwerks.

Herr Lewis fühlte, daß er endlich nach vielen Jahren dem Teufel von Angesicht zu Angesicht gegenüberstand, und daß der Teufel in einer Falle gefangen war. Das Tick-Tack des Holzes dauerte an.

«Und dafür haben Männer ihr Leben aufs Spiel gesetzt, stundenlang gearbeitet und gegraben», sagte Lewis. «Ich habe meinen Anzug ruiniert, meinen . . .»

Während dieser Worte war das Tick-Tack lauter geworden. Es folgte ein plötzliches Schwingen und Seufzen des

groaning of the floor, followed by a big heaving and splitting sound.

"It's going," said Morgan with detachment from below. "The table leg." The floor crashed down. The hole in the tunnel was torn wide and Lewis grabbed at the darkness until he caught a board. It swung him out and in a second he found himself hanging by both hands over the pit.

"I'm falling. Help me," shouted Lewis in terror. "Help me." There was no answer.

"Oh, God," shouted Lewis, kicking for a foothold. "Morgan, are you there? Catch me, I'm going."

Then a groan like a snore came out of Lewis. He could no longer hold. He fell. He fell exactly two feet.

The sweat ran down his legs and caked on his face. He was as wet as a rat. He was on his hands and knees gasping. When he got his breath again he was afraid to raise his voice.

"Morgan," he said quietly, panting.

"Only one leg went," the old man said in a quiet grating voice. "The other three are all right."

Lewis lay panting on the floor. There was a long silence. "Haven't you ever been afraid before, Lewis?" Morgan said. Lewis had no breath to reply. "Haven't you ever felt rotten with fear," said the old man, calmly, "like an old tree, infest-

Fußbodens, und dann ein lautes, stöhnendes, splitterndes Geräusch.

«Es gibt nach», sagte Morgan gelassen, «das Tischbein.» Der Fußboden stürzte ein. Das Loch im Tunnel wurde weit aufgerissen, und Lewis tastete im Dunkeln, bis er ein Brett zu fassen bekam. Es riß ihn aus dem Gang, und eine Sekunde später merkte er, daß er an den Händen über dem Abgrund hing.

«Ich fall runter, Hilfe!» schrie Lewis voller Entsetzen. «Hilfe!» Keine Antwort.

«Oh Gott», schrie Lewis, indem er mit dem Fuß nach einer Stütze suchte, «Morgan, sind Sie da? Fangen Sie mich. Ich fall runter!»

Dann ließ Lewis ein schnarchendes Stöhnen hören. Er konnte sich nicht mehr halten. Er fiel. Er fiel genau zwei Fuß.

Der Schweiß lief ihm die Beine hinunter und klebte auf seinem Gesicht zusammen. Er war naß wie eine Ratte. Er kroch auf Händen und Knien und keuchte. Als er wieder zu Atem gekommen war, hatte er Angst, laut zu sprechen.

«Morgan», sagte er leise und schnaufte.

«Nur ein Bein hat nachgegeben», sagte der alte Mann mit ruhiger, rauher Stimme, «die anderen drei sind in Ordnung.»

Lewis lag auf dem Boden und schnaufte. Ein langes Schweigen trat ein. «Haben Sie vorher noch nie Angst gehabt, Lewis?» fragte Morgan. Lewis hatte keine Puste zum Antworten. «Haben Sie sich nie ganz verrottet gefühlt vor Furcht», sagte der alte Mann ruhig, «wie ein alter Baum,

ed and worm-eaten with it, soft as a rotten orange?"

"You were a fool to come down here after me. I wouldn't have done the same for you," Morgan said.

"You would," Lewis managed to say.

"I wouldn't," said the old man. "I'm afraid. I'm an old man, Lewis, and I can't stand it. I've been down here every night since the raids got bad."

Lewis listened to the voice. It was low with shame, it had the roughness of the earth, the kicked and trodden choking dust of Adam. The earth of Mr. Lewis listened for the first time to the earth of Morgan. Coarsened and sordid and unlike the singing voice, the voice of Morgan was also gentle and fragmentary.

"When you stop feeling shaky," Morgan said, "you'd better sing. I'll do a bar, but I can't do much. The whisky's gone. Sing, Lewis. Even if they don't hear, it does you good. Take the tenor, Lewis."

Above in the daylight the look of pain went from the mouths of the rescue party, a grin came on the dusty lips of the warden.

"Hear it?" he said. "A ruddy Welsh choir!"

morsch und noch dazu von Würmern zerfressen, weich wie eine verfaulte Apfelsine?»

«Sie waren schön dumm, daß Sie hier hinter mir hergekommen sind. Ich hätte das für Sie nicht getan», sagte Morgan.

«Das hätten Sie doch», brachte Lewis heraus.

«Hätte ich nicht», sagte der alte Mann, «fürchte ich. Ich bin ein alter Mann, Lewis, ich kann das nicht aushalten. Ich bin jede Nacht hier unten gewesen, seit die Angriffe schlimm geworden sind.»

Lewis lauschte der Stimme. Sie war leise vor Scham. Sie hatte die Rauheit der Erde, des getretenen und zerstampften, erstickenden Staubes Adams. Die Erde des Herrn Lewis hörte zum ersten Mal auf die Erde Morgans. Roh und gemein und ganz anders als die Singstimme, war die Stimme Morgans doch zugleich zart und brüchig.

«Wenn Sie sich nicht mehr zitterig fühlen», sagte Morgan, »ist es besser, Sie singen. Ich kann ein paar Takte mitsingen, aber nicht viele. Der Whisky ist alle. Singen Sie, Lewis. Auch wenn die oben es nicht hören; Ihnen tut es gut. Nehmen Sie den Tenor, Lewis.»

Oben im Tageslicht verloren die Münder des Rettungstrupps den schmerzlichen Ausdruck, auf die staubigen Lippen des Kirchenvorstehers trat ein Grinsen.

«Hören Sie», sagte er, «ein verflucht guter Waliser Chor!»

Virginia Woolf — from the volume *A Haunted House and Other Short Stories*, reprinted by permission of the Author's Literary Estate and The Hogarth Press. Diese Erzählung ist in der Übersetzung von Herbert und Marlys Herlitschka erschienen in dem Band *Die Dame im Spiegel und andere Erzählungen*, Fischer-Bücherei Band 1984.

W. Somerset Maugham – aus *Cosmopolitans*, mit Genehmigung von A. P. Watt & Son und der Agentur Mohrbooks, Zürich, und mit Einverständnis des Diogenes Verlages, Zürich, wo eine andere Übersetzung erschienen ist.

Aldous Huxley – aus *Collected Short Stories*, mit Genehmigung des Verlages Chatto and Windus Ltd., London.

Evelyn Waugh – aus *Work Suspended and Other Stories*, mit Genehmigung der Agentur A. D. Peters, London.

V. S. Pritchett – aus *It May Never Happen*, mit Genehmigung der Agentur A. D. Peters, London.

JOIN THE FABIANS TODAY
Join us and receive two Fabian Reviews, plus our award-winning equality report, 'Narrowing the Gap'

I'd like to become a Fabian for just £9.95

I understand that should at any time during my six-month introductory membership period I wish to cancel, I will receive a refund and keep all publications received without obligation. After six months I understand my membership will revert to the annual rate as published in Fabian Review, currently £31 (ordinary) or £14 (unwaged).

Name	Date of birth
Address	
	Postcode
Email	
Telephone	

Instruction to Bank   Originator's ID: 971666

Bank/building society name	
Address	**DIRECT Debit**
	Postcode
Acct holder(s)	
Acct no.	Sort code

I instruct you to pay direct debits from my account at the request of the Fabian Society. The instruction is subject to the safeguards of the Direct Debit Guarantee.

Signature	Date

Return to:
Fabian Society Membership
FREEPOST SW 1570
11 Dartmouth Street
London
SW1H 9BN